WINDS

ST.-JOHN PERSE, *pseud.*

See
Léger, Alexis Saint-Léger, 1889–

BILINGUAL EDITION

TRANSLATION BY

HUGH CHISHOLM

BOLLINGEN SERIES XXXIV

PANTHEON BOOKS

THIS VOLUME IS THE THIRTY-FOURTH IN A SERIES OF BOOKS
SPONSORED BY AND PUBLISHED FOR
BOLLINGEN SERIES

Second edition
First printing, 1961

Library of Congress Catalog Card Number 61-10580

MANUFACTURED IN THE UNITED STATES OF AMERICA BY
KINGSPORT PRESS, INC., KINGSPORT, TENN.
DESIGNED BY ANDOR BRAUN

CONTENTS

To Atlanta and Allan P.

VENTS

WINDS

I

1

C'ÉTAIENT *de très grands vents sur toutes faces de ce monde,*
    De très grands vents en liesse par le monde, qui n'avaient
d'aire ni de gîte,
    Qui n'avaient garde ni mesure, et nous laissaient, hommes
de paille,
    En l'an de paille sur leur erre . . . Ah! oui, de très grands
vents sur toutes faces de vivants!

    Flairant la pourpre, le cilice, flairant l'ivoire et le tesson,
flairant le monde entier des choses,
    Et qui couraient à leurs offices sur nos plus grands versets
d'athlètes, de poètes,
    C'étaient de très grands vents en quête sur toutes pistes de ce
monde,
    Sur toutes choses périssables, sur toutes choses saisissables,
parmi le monde entier des choses . . .

4

1

THESE were very great winds over all the faces of this world,

Very great winds rejoicing over the world, having nor eyrie nor resting-place,

Having nor care nor caution, and leaving us, in their wake,

Men of straw in the year of straw . . . Ah, yes, very great winds over all the faces of the living!

Scenting out the purple, the haircloth, scenting out the ivory and the potsherd, scenting out the entire world of things,

And hurrying to their labours along our greatest verses of athletes, of poets,

These were very great winds questing over all the trails of this world,

Over all things perishable, over all things graspable, throughout the entire world of things . . .

Et d'éventer l'usure et la sécheresse au cœur des hommes in-
vestis,

    Voici qu'ils produisaient ce goût de paille et d'aromates, sur
toutes places de nos villes,

    Comme au soulèvement des grandes dalles publiques. Et le
cœur nous levait

    Aux bouches mortes des Offices. Et le dieu refluait des grands
ouvrages de l'esprit.

    Car tout un siècle s'ébruitait dans la sécheresse de sa paille,
parmi d'étranges désinences: à bout de cosses, de siliques, à
bout de choses frémissantes,

    Comme un grand arbre sous ses hardes et ses haillons de
l'autre hiver, portant livrée de l'année morte;

    Comme un grand arbre tressaillant dans ses crécelles de bois
mort et ses corolles de terre cuite —

    Très grand arbre mendiant qui a fripé son patrimoine, face
brûlée d'amour et de violence où le désir encore va chanter.

    «O toi, désir, qui vas chanter . . .» Et ne voilà-t-il pas déjà
toute ma page elle-même bruissante,

    Comme ce grand arbre de magie sous sa pouillerie d'hiver:
vain de son lot d'icones, de fétiches,

    Berçant dépouilles et spectres de locustes; léguant, liant au
vent du ciel filiales d'ailes et d'essaims, lais et relais du plus
haut verbe —

    Ha! très grand arbre du langage peuplé d'oracles, de maxi-
mes et murmurant murmure d'aveugle-né dans les quinconces
du savoir . . .

6

And having exposed to the air the attrition and drought in the heart of men in office,

Behold, they produced this taste of straw and spices, in all the squares of our cities,

As it is when the great public slabs are lifted up. And our gorge rose

Before the blind archways of the Offices. And divinity ebbed from the great works of the spirit.

For a whole century was rustling in the dry sound of its straw, amid strange desinences at the tips of husks of pods, at the tips of trembling things,

Like a great tree in its rags and remnants of last winter, wearing the livery of the dead year,

Like a great tree shuddering in its rattles of dead wood and its corollas of baked clay —

Very great mendicant tree, its patrimony squandered, its countenance seared by love and violence whereon desire will sing again.

"O thou, desire, who art about to sing . . ." And does not my whole page itself already rustle,

Like that great magical tree in its winter squalor, proud of its portion of icons and fetishes,

Cradling the shells and spectres of locusts; bequeathing, relaying to the wind of heaven affiliations of wings and swarmings, tide marks of the loftiest Word —

Ah! very great tree of language, peopled with oracles and maxims, and murmuring the murmur of one born blind among the quincunxes of knowledge . . .

Jadis, l'esprit du dieu se reflétait dans les foies d'aigles entr'ouverts, comme aux ouvrages de fer du forgeron, et la divinité de toutes parts assiégeait l'aube des vivants.

Divination par l'entraille et le souffle et la palpitation du souffle! Divination par l'eau du ciel et l'ordalie des fleuves . . .

Et de tels rites furent favorables. J'en userai. Faveur du dieu sur mon poème! Et qu'elle ne vienne à lui manquer!

«Favorisé du songe favorable» fut l'expression choisie pour exalter la condition du sage. Et le poète encore trouve recours dans son poème,

Reconnaissant pour excellente cette mantique du poème, et tout ce qu'un homme entend aux approches du soir;

Ou bien un homme s'approchant des grandes cérémonies majeures où l'on immole un cheval noir. — «Parler en maître, dit l'Écoutant.»

Of old, the spirit of the god was reflected in the livers of eagles laid open, as in the blacksmith's wrought-iron, and from all sides divinity besieged the dawn of the living.

Divination by entrails and breath and palpitations of breath. Divination by rain and the ordeal of the rivers . . .

And such rites were favourable. I shall make use of them. Favour of the god on my poem! And never from my poem be it withdrawn!

"Favoured by the favourable dream" was the phrase chosen to exalt the condition of the sage. And once again the poet receives grace from his poem,

Recognizing as excellent the mantic power of the poem, and all that a man may hear at the approach of night;

Or else a man approaching the great master ceremonies where a black horse is sacrificed. — "Speak as a Master, says the Listener."

C'ÉTAIENT *de très grandes forces en croissance sur toutes pistes de ce monde, et qui prenaient source plus haute qu'en nos chants, en lieu d'insulte et de discorde;*

Qui se donnaient licence par le monde—ô monde entier des choses—et qui vivaient aux crêtes du futur comme aux versants de glaise du potier . . .

Au chant des hautes narrations du large, elles promenaient leur goût d'enchères, de faillites; elles disposaient, sur toutes grèves, des grands désastres intellectuels,

Et sur les pas précipités du soir, parmi les pires désordres de l'esprit, elles instituaient un nouveau style de grandeur où se haussaient nos actes à venir;

Ou disputant, aux îles lointaines, des chances du divin, elles élevaient sur les hauteurs une querelle d'Esséniens où nous n'avions accès . . .

Par elles prospéraient l'erreur et le prodige, et la sauterelle verte du sophisme; les virulences de l'esprit aux abords des salines et la fraîcheur de l'érotisme à l'entrée des forêts;

3

THESE were very great forces increasing over all the trails of this world, rising from sources higher than our songs, from heights of insult and discord;

Giving themselves licence throughout the world — O entire world of things — and living on the crests of the future as though on the clay slopes of the potter . . .

To the chant of the lofty narratives of space, they aired their taste for auctions and bankruptcies; on all shores they rejoiced in the great intellectual disasters,

And following in the hurried footsteps of the night, amidst the spirit's worst disorders, they instituted a new style of grandeur to which our future acts must rise;

Or discussing, on distant isles, the chances of the divine, they raised to the heights an Essenian dispute to which we had no access . . .

Through them error and wonder prospered, and the green locust of sophistry; virulences of the spirit at the edges of salt-flats, and the freshness of erotism at the entrances to forests;

Par elles l'impatience aux rives feintes des Mers mortes, aux cimes peintes de vigognes, et sur toutes landes de merveille où s'assemblent les fables, les grandes aberrations du siècle . . .

Elles infestaient d'idées nouvelles la laine noire des typhons, le ciel bas où voyagent les beaux édits de proscription,

Et propageant sur tous les sables la salicorne du désir, elles promettaient semence et sève de croissance comme délice de cubèbe et de giroflier,

Elles promettaient murmure et chant d'hommes vivants, non ce murmure de sécheresse dont nous avons déjà parlé.

Achève, Narrateur! . . . Elles sifflaient aux portes des Curies. Elles couchaient les dieux de pierre sur leur face, le baptistère sous l'ortie, et sous la jungle le Bayon.

Elles libéraient la source sous la ronce et le pavé des Rois — dans les patios des Cours de Comptes et dans les Jeux de Paume, dans les ruelles jonchées d'estampes, d'incunables et de lettres de femmes.

Elles épousaient toute colère de la pierre et toute querelle de la flamme; avec la foule s'engouffraient dans les grands songes bénévoles, et jusqu'aux Cirques des faubourgs, pour l'explosion de la plus haute tente et son échevèlement de fille, de Ménade, dans un envol de toiles et d'agrès . . .

Elles s'en allaient où vont les hommes sans naissance et les cadets sans majorat, avec les filles de licence et les filles d'Église, sur les Mers catholiques couleur de casques, de rapières et de vieilles châsses à reliques,

Et s'attachant aux pas du Pâtre, du Poète, elles s'annexaient en cours de route la mouette mauve du Mormon, l'abeille sauvage

Through them impatience on the simulated shores of dead Seas, on the peaks streaked with vicunas, and on all the moors of wonder where gather the fables and the great aberrations of the century . . .

They infested with new ideas the black wool of typhoons, the low sky where travel the beautiful edicts of proscription,

And propagating the saltwort of desire over all the sands, they promised seed and sap of growth as a delight of cubeba and clove,

They promised murmur and chant of living men, not this dry murmuring of which we have already spoken.

Tell on to the end, Narrator! . . . They whistled at the doors of the Curiae. They laid the stone gods on their faces, the baptistery beneath the nettles, the pagoda beneath the jungle.

They liberated the living spring from under the bramble and the pavement of Kings—in the patios of Cours de Comptes and in the Jeux de Paume, in the alleys strewn with engravings, incunabula and letters from women.

They espoused all the stone's anger and all the wrangling of the flame; with the crowd they surged into great prodigal dreams, all the way to the Circuses in the suburbs, to the explosion of the tallest tent and its dishevelment, like that of a girl, a Maenad, in a flying of canvas and rigging . . .

They were going where go the men of no birth and the younger sons of no expectations, with loose women and women of the Church, on catholic Seas the colour of helmets, of rapiers and old reliquaries,

And following in the Shepherd's footsteps, and the Poet's, they annexed on the way the Mormon's mauve sea-gull, the

15

du désert et les migrations d'insectes sur les mers, comme fumées de choses errantes prêtant visière et ciel de lit aux songeries des femmes sur la côte.

*

Ainsi croissantes et sifflantes au tournant de notre âge, elles descendaient des hautes passes avec ce sifflement nouveau où nul n'a reconnu sa race,

Et dispersant au lit des peuples, ha! dispersant—qu'elles dispersent! disions-nous—ha! dispersant

Balises et corps-morts, bornes milliaires et stèles votives, les casemates aux frontières et les lanternes aux récifs; les casemates aux frontières, basses comme des porcheries, et les douanes plus basses au penchant de la terre; les batteries désuètes sous les palmes, aux îles de corail blanc avilies de volaille; les édicules sur les caps et les croix aux carrefours; tripodes et postes de vigie, gabions, granges et resserres, oratoire en forêt et refuge en montagne; les palissades d'affichage et les Calvaires aux détritus; les tables d'orientation du géographe et le cartouche de l'explorateur; l'amas de pierres plates du caravanier et du géodésien; du muletier peut-être ou suiveur de lamas? et la ronce de fer aux abords des corrals, et la forge de plein air des marqueurs de bétail, la pierre levée du sectateur et le cairn du landlord, et vous, haute grille d'or de l'Usinier, et le vantail ouvragé d'aigles des grandes firmes familiales . . .

Ha! dispersant—qu'elles dispersent! disions-nous—toute pierre jubilaire et toute stèle fautive,

16

wild bee of the desert, and insects migrating over the seas like the fumes of fugitive things lending visor and canopy to the dreamings of women on the shore.

*

Increasing and whistling thus at the turn of our time. they came down from the high passes with this new whistling wherein no one has known his own race,

And scattering on the bed of the peoples, ha! scattering — let them scatter! we were saying — ha! scattering

Beacons and buoys, milestones and votive stelae, the casemates on the frontiers and the lanterns on the reefs; the casemates on the frontiers, low as pigsties, and the customhouses down lower still to the sloping of the earth; obsolete batteries under the palm trees on white coral isles defiled by poultry; the turrets on the headlands and the crosses at the crossroads; tripods and lookout posts, gabions, barns and sheds, forest chapel and mountain refuge; the billboards and the Calvaries amid the refuse; the geographer's tables of orientation and the explorer's tablet; the flat stones piled by the caravan leader and the geodetic surveyor, by the muleteer, perhaps, or the driver of llamas? and the iron bramble at the approaches to the corrals, and the animal brander's open-air forge, the votary's stone upright and the landowner's cairn, and you, tall gilded iron gate of the Mill-Owner, and the eagle-crested portals of the great family firms . . .

Ha! scattering — let them scatter! we were saying — every jubilee stone and every faulty stele,

17

Elles nous restituaient un soir la face brève de la terre, où susciter un cent de vierges et d'aurochs parmi l'hysope et la gentiane.

Ainsi croissantes et sifflantes, elles tenaient ce chant très pur où nul n'a connaissance.

Et quand elles eurent démêlé des œuvres mortes les vivantes, et du meilleur l'insigne,

Voici qu'elles nous rafraîchissaient d'un songe de promesses, et qu'elles éveillaient pour nous, sur leurs couches soyeuses,

Comme prêtresses au sommeil et filles d'ailes dans leur mue, ah! comme nymphes en nymphose parmi les rites d'abeillage — lingeries d'ailes dans leur gaine et faisceaux d'ailes au carquois —

Les écritures nouvelles encloses dans les grands schistes à venir . . .

O fraîcheur dans la nuit où fille d'ailes se fit l'aube: à la plus haute cime du péril, au plus haut front

De feuilles et de frondes! . . . «Enchante-moi, promesse, jusqu'à l'oubli du songe d'être né . . .»

Et comme celui qui a morigéné les Rois, j'écouterai monter en moi l'autorité du songe.

Ivre, plus ivre, disais-tu, d'avoir renié l'ivresse . . . Ivre, plus ivre, d'habiter

La mésintelligence.

One evening they restored to us the sharp face of the earth, thereon to conjure forth a hundred virgins and aurochs amid the hyssop and the gentian.

Increasing and whistling thus, they maintained this very pure song whereof no one has understanding.

And when they had unravelled the living works from the dead, and from the best the supreme,

Behold, they refreshed us with a dream of promises, and for us they awakened, on their silken couches,

Like priestesses in sleep and winged girls in their moulting, ah! like nymphs in nymphose amid the rites of the bees — lingerie of wings in their sheaths and sheafs of wings in the quiver —

The new scriptures enclosed in the great schists of the future . . .

O freshness in the night when dawn transformed herself into a winged girl; at the highest peak of peril, at the highest point

Of leaves and fronds! . . . "Promise, enchant me unto forgetfulness of the dream of being born . . ."

And as one who has reprimanded Kings, I shall listen to the authority of the dream that mounts within me.

Drunken, the more drunken, you were saying, for having denied drunkenness . . . Drunken, the more drunken, for dwelling

In disaccord.

4

Tout à reprendre. Tout à redire. Et la faux du regard sur tout l'avoir menée!

Un homme s'en vint rire aux galeries de pierre des Bibliothécaires.—Basilique du Livre! . . . Un homme aux rampes de sardoine, sous les prérogatives du bronze et de l'albâtre. Homme de peu de nom. Qui était-il, qui n'était-il pas?

Et les murs sont d'agate où se lustrent les lampes. L'homme tête nue et les mains lisses dans les carrières de marbre jaune— où sont les livres au sérail, où sont les livres dans leurs niches, comme jadis, sous bandelettes, les bêtes de paille dans leurs jarres, aux chambres closes des grands Temples—les livres tristes, innombrables, par hautes couches crétacées portant créance et sédiment dans la montée du temps . . .

Et les murs sont d'agate où s'illustrent les lampes. Hauts murs polis par le silence et par la science, et par la nuit des lampes. Silence et silencieux offices. Prêtres et prêtrise. Sérapéum!

20

4

ALL to be done again. All to be told again. And the scything glance to be swept across all man's heritage.

A man came who laughed at the Librarians' stone galleries. —Basilica of the Tome! . . . A man on the sardonyx stairs, beneath the prerogatives of bronze and alabaster. Man of little renown. Who was he, who was he not?

And the walls are of agate where the lamps gain lustre. The man, bare-headed, with smooth hands, in the yellow marble quarries—where the tomes are in the seraglio, where the tomes are in their niches, like stuffed animals under wrappings, long ago, in their jars within the closed rooms of the great Temples—the tomes, innumerable and sad, in high cretaceous strata carrying credence and sediment through the ascent of time . . .

And the walls are of agate where the lamps take lustre. Tall walls polished by silence and by science, and by the night of the lamps. Silence and silent offices. Priests and priesthood. Serapeum!

21

A quelles fêtes du Printemps vert nous faudra-t-il laver ce doigt souillé aux poudres des archives—dans cette pruine de vieillesse, dans tout ce fard de Reines mortes, de flamines—comme aux gisements des villes saintes de poterie blanche, mortes de trop de lune et d'attrition?

Ha! qu'on m'évente tout ce lœss! Ha! qu'on m'évente tout ce leurre! Sécheresse et supercherie d'autels . . . Les livres tristes, innombrables, sur leur tranche de craie pâle . . .

Et qu'est-ce encore, à mon doigt d'os, que tout ce talc d'usure et de sagesse, et tout cet attouchement des poudres du savoir? comme aux fins de saison poussière et poudre de pollen, spores et sporules de lichens, un émiettement d'ailes de piérides, d'écailles aux volves des lactaires . . . toutes choses faveuses à la limite de l'infime, dépôts d'abîmes sur leurs fèces, limons et lies à bout d'avilissement—cendres et squames de l'esprit.

Ha! tout ce parfum tiède de lessive et de fomentation sous verre . . . de terres blanches à sépulcre, de terres blanches à foulon et de terre de bruyère pour vieilles Serres Victoriennes . . . toute cette fade exhalaison de soude et de falun, de pulpe blanche de coprah, et de sécherie d'algues sous leurs thalles au feutre gris des grands herbiers,

Ha! tout ce goût d'asile et de casbah, et cette pruine de vieillesse aux moulures de la pierre—sécheresse et supercherie d'autels, carie de grèves à corail, et l'infection soudaine, au loin, des grandes rames de calcaire aux trahisons de l'écliptique . . .

S'en aller! s'en aller! Parole de vivant!

22

At what rites of green Spring must we cleanse this finger, soiled with the dust of archives—in this bloom of age, in all this powder of dead Queens and flamens—as though from deposits of holy cities, cities of white earthenware, dead from too much attrition, too much moon?

Ha! let all this loess be aired out! Ha, let all this lure be aired out. Fraud and sterility of altars . . . The tomes, innumerable and sad, on their pale chalk edges . . .

And what is all this talc again to my finger of bone, talc of wear and wisdom, and all that dusty touch of scholarship? like powder and dust of pollen at the season's end, spores and sporules of lichens, a crumbling of wings of the Pieridae, of flaking volvas of the lactaries . . . all things scaling off toward nothingness, deposits of the depths over their faeces, slime and dregs at the very bottom of silt—ashes and scales of the spirit.

Ha! all this tepid odour of lye and fomentation under glass . . . of white earth of sepulchres, of white fuller's earth and heath-mould for old Victorian greenhouses . . . all that stale exhalation of kelp-ash and shell-marl, of white pulp of copra, and of seaweed's thalli drying under the grey felt of great herbariums,

Ha! all that taste of asylum and casbah, and that bloom of age over the stone mouldings—fraud and sterility of altars, decay of coral coasts, and, far away, the sudden infection of the vast limestone ranches at the perfidies of the ecliptic . . .

Let us be gone! be gone! Cry of the living!

. . . E<small>Ä</small>, *dieu de l'abîme, ton bâillement n'est pas plus vaste.*

Des civilisations s'en furent aux feux des glaces, avec la flamme des grands vins,
Et les aurores descendues des fêtes boréales, aux mains de l'habilleuse,
N'ont pas encore changé leur jeu de lingerie.
Nous coucherons ce soir les saisons mortes dans leurs robes de soirée, dans leurs dentelles de vieil or,
Et comme un chant d'oublies sur le pas des armées, au renversement des tables de Merveilleuses, de Gandins,
Notre stance est légère sur le charroi des ans!
Ne comptez pas sur moi pour les galas d'adieux des Malibran.
Qui se souvient encore des fêtes chez les hommes? — les Pâlilies, les Panonies,
Christmas et Pâques et la Chandeleur, et le Thanksgiving Day . . .
Vous qui savez, rives futures, où résonneront nos pas,

. . . Eâ, god of the abyss, your yawn is not more cavernous.

Civilizations dwindled away in the fires of tall mirrors, with the flame of great wines,

And the dawns, down from their boreal festivals into the hands of the dresser,

Have made as yet no change in their choice of lingerie.

Tonight we shall lay the dead seasons to bed in their ballgowns, in their laces of old gold,

And like a chant of the vendor of gaufres in the wake of armies, at the upsetting of the tables of Merveilleuses, of Dandies,.

Our stanza is light on the traffic of the years!

Do not count on me for the Malibrans' farewell galas.

Who still remembers those feasts in the cities of men? — the Palilies, the Panonies,

Christmas and Easter and Candlemas, and Thanksgiving Day . . .

Shores of the future, you who know where our footsteps will resound,

*Vous embaumez déjà la pierre nue et le varech des fonts
nouveaux.*

*Les livres au fleuve, les lampes aux rues, j'ai mieux à faire
sur nos toits de regarder monter l'orage.*

*Que si la source vient à manquer d'une plus haute con-
naissance,*

L'on fasse coucher nue une femme seule sous les combles —

*Là même où furent, par milliers, les livres tristes sur leurs
claies comme servantes et filles de louage . . .*

*Là qu'il y ait un lit de fer pour une femme nue, toutes baies
ouvertes sur la nuit.*

*Femme très belle et chaste, agréée entre toutes femmes de la
Ville*

*Pour son mutisme et pour sa grâce et pour sa chair irré-
prochable, infusée d'ambre et d'or aux approches de l'aine,*

*Femme odorante et seule avec la Nuit, comme jadis, sous la
tuile de bronze,*

*Avec la lourde bête noire au front bouclé de fer, pour l'ac-
cointement du dieu,*

*Femme loisible au flair du Ciel et pour lui seul mettant à
vif l'intimité vivante de son être . . .*

*Là qu'elle soit favorisée du songe favorable, comme flairée du
dieu dont nous n'avons mémoire,*

*Et frappée de mutisme, au matin, qu'elle nous parle par
signes et par intelligences du regard.*

26

Already you exhale the smell of new fonts, naked stone and kelp.

To the river with the tomes, to the streets with the lamps! I have better things to do on the roofs watching the storm arise.

And should the spring of higher understanding chance to fail,

Let offering be made of a naked woman lying alone under the rooftree —

There where the tomes were, by the thousands, on their racks, sad as servants and hired-girls . . .

There let there be a bed of iron for a naked woman, all the bays open to the night.

A woman, very beautiful, and chaste, chosen among all the women of the town

By virtue of her silence and her grace and her irreproachable flesh, infused with amber and gold at the curving of the groin,

A woman odorous and alone with the Night, for the coupling of the god,

As, long ago, beneath the bronze tile, alone with the heavy black beast crowned by curls of iron,

A woman there, ripe for Heaven's desire, and to Heaven alone revealing the fragrant intimacy of her being . . .

There may she be favoured with the favourable dream, as though scented out by the god of whom we have no memory,

And, lying mute in the morning, may she speak to us in signs and the eyes' intimations.

27

Et dans les signes du matin, à l'orient du ciel, qu'il y ait
aussi un sens et une insinuation . . .

Ainsi quand l'Enchanteur, par les chemins et par les rues,
Va chez les hommes de son temps en habit du commun,
Et qu'il a dépouillé toute charge publique,
Homme très libre et de loisir, dans le sourire et la bonne
grâce,
Le ciel pour lui tient son écart et sa version des choses.
Et c'est par un matin, peut-être, pareil à celui-ci,
Lorsque le ciel en Ouest est à l'image des grandes crues,
Qu'il prend conseil de ces menées nouvelles au lit du vent.

Et c'est conseil encore de force et de violence.

And, in the signs of the morning, on the Eastern sky, may there be also a meaning and an insinuation . . .

Thus, when the Enchanter, by streets and highways,
Comes among the men of his time in the garb of a commoner,
Having laid aside all public office,
A very free man, and leisurely, smiling and of good grace,
For him the sky keeps its distance and its version of things.
And perhaps it is on a morning such as this,
When the Western sky takes on the image of the great floods,
That he takes counsel with the new conspiracies in the bed of the wind.

And once again it is counsel of force and of violence.

29

6

«Ivre, *plus ivre, disais-tu, de renier l'ivresse . . .*»

Un homme encore se lève dans le vent. Parole brève comme éclat d'os. Le pied déjà sur l'angle de sa course . . .

«Ah! oui, toutes choses descellées! Qu'on se le dise entre vivants!

Aux bas-quartiers surtout — la chose est d'importance.

Et vous, qu'allez-vous faire, hommes nouveaux, des lourdes tresses dénouées au front de l'heure répudiée?

Ceux qui songeaient les songes dans les chambres se sont couchés hier soir de l'autre côté du Siècle, face aux lunes adverses.

D'autres ont bu le vin nouveau dans les fontaines peintes au minium. Et de ceux-là nous fûmes. Et la tristesse que nous fûmes s'en aille au vin nouveau des hommes comme aux fêtes du vent!

30

6

"DRUNKEN, the more drunken, you were saying, for denying drunkenness . . ."

Once again a man arises in the wind. His word as brief as the splintering of bone. His foot already angled on its course . . .

"Ah, yes, all things torn loose! Let it be told among the living!

Above all in the lower districts — this matter is of importance.

And you, new men, what are you going to do with the heavy braids unbraided over the brow of the repudiated hour?

Those who dreamed dreams in their rooms went to bed last night on the other side of the century, facing the adverse moons.

Others have drunk the new wine in fountains painted with red lead. And we were of those. And may the sadness that we were be dissolved in the new wine of men, as in the festivals of the wind!

Fini le songe où s'émerveille l'attente du Songeur.

Notre salut est dans la hâte et la résiliation. L'impatience est en tous lieux. Et par-dessus l'épaule du Songeur l'accusation de songe et d'inertie.

Qu'on nous cherche aux confins les hommes de grand pouvoir, réduits par l'inaction au métier d'Enchanteurs.

Hommes imprévisibles. Hommes assaillis du dieu. Hommes nourris au vin nouveau et comme percés d'éclairs.

Nous avons mieux à faire de leur force et de leur œil occulte.

Notre salut est avec eux dans la sagesse et dans l'intempérance.»

. . . *Et la tristesse que nous fûmes s'en aille encore au vin des hommes!*

Nous y levons face nouvelle, nous y lavons face nouvelle. Contractants et témoins s'engagent sur les fonts.

Et si un homme auprès de nous vient à manquer à son visage de vivant, qu'on lui tienne de force la face dans le vent!

Les dieux qui marchent dans le vent ne lèvent pas en vain le fouet.

Ils nous disaient — vous diront-ils? — qu'un cent d'épées nouvelles s'avive au fil de l'heure.

Ils nous aiguiseront encore l'acte, à sa naissance, comme l'éclat de quartz ou d'obsidienne à la pointe des flèches.

«Divinités propices à l'éclosion des songes, ce n'est pas vous que j'interpelle, mais les Instigatrices ardentes et court vêtues de l'action.

Nous avançons mieux nos affaires par la violence et par l'intolérance.

32

Ended the dream wherein the Dreamer marvels throughout his watch.

Our salvation is in the haste and the cancelling out. Impatience is everywhere. And over the Dreamer's shoulder the indictment of dream and inertia.

Let them bring us from the Marches men of great power, reduced by inaction to the profession of Enchanter.

Unpredictable men. Men assailed by the god. Men nourished on the new wine and as though transfixed by lightning.

We have better use for their strength and for their occult eye.

Our salvation is with them, in wisdom and in vehemence."

. . . And let the sadness that was ours be dissolved again in the wine of men.

To it we lift a new face, in it we wash a new face. Covenanters and witnesses take oath before the fonts.

And should the face of any man near us fail to do honour to life, let that face be held by force into the wind.

The gods who walk in the wind do not raise the whip in vain.

They told us—will they tell you?—that a hundred new swords are sharpened on the edge of the hour.

For us they will sharpen again the act, at its inception, like the splinter of quartz or obsidian at the point of arrows.

"Not on you do I call, divinities propitious for the flowering of dreams, but on you, the passionate and high-girded ones, goddesses of action.

We further our affairs with more success by violence and intolerance.

33

La condition des morts n'est point notre souci, ni celle du failli.

L'intempérance est notre règle, l'acrimonie du sang notre bien-être.

Et de grands livres pénétrés de la pensée du vent, où sont-ils donc? Nous en ferions notre pâture.

Notre maxime est la partialité, la sécession notre coutume. Et nous n'avons, ô dieux! que mésintelligences dans la place.»

Nos revendications furent extrêmes, à la frontière de l'humain.

Sifflez, faillis! Les vents sont forts! Et telle est bien notre prérogative.

Nous nous levons avec ce très grand cri de l'homme dans le vent

Et nous nous avançons, hommes vivants, pour réclamer notre bien en avance d'hoirie.

Qu'on se lève de partout avec nous! Qu'on nous donne, ô vivants, la plénitude de notre dû!

*

Ha! oui, toutes choses descellées, ha! oui, toutes choses lacérées! Et l'An qui passe, l'aile haute! . . .

C'est un envol de pailles et de plumes! une fraîcheur d'écume et de grésil dans la montée des signes! et la Ville basse vers la mer dans un émoi de feuilles blanches: libelles et mouettes de même vol.

34

The state of the dead is no care of ours, nor that of the bankrupt.

Vehemence is our rule, acrimony of the blood our well-being.

And great books imbued with the thought of the wind, where may they be? We would feast upon them.

Our maxim is partiality, secession our custom. And we have, O gods, nothing but misunderstanding with those inside the walls."

On the frontiers of the human, our claims were extreme.

Whistle, failures! The winds are strong! And such is surely our privilege.

We arise with this very great cry of man within the wind

And we move forward, living men, to claim our estate in advance of inheritance.

Let them arise with us from everywhere. Let the fullness of our due, O living ones, be given unto us.

*

Ah, yes, all things torn loose! ah, yes, all things torn asunder! And the Year going by, high-winged . . .

There is a fleeing of straws and feathers! and freshness of sleet and foam in the rising of signs! and the City, low toward the sea, in a flutter of white leaves: leaflets and sea-mews in the same flight.

L'impatience encore est de toutes parts. Et l'homme étrange, de tous côtés, lève la tête à tout cela: l'homme au brabant sur la terre noire, le cavalier en pays haut, dans les polypes du ciel bas, et l'homme de mer en vue des passes, dans l'explosion de sa plus haute toile.

Le philosophe babouviste sort tête nue devant sa porte. Il voit la Ville, par trois fois, frappée du signe de l'éclair, et par trois fois la Ville, sous la foudre, comme au clair de l'épée, illuminée dans ses houillères et dans ses grands établissements portuaires — un golgotha d'ordure et de ferraille, sous le grand arbre vénéneux du ciel, portant son sceptre de ramures comme un vieux renne de Saga:

«O vous que rafraîchit l'orage . . . fraîcheur et gage de fraîcheur . . .

Repris aux dieux votre visage, au feu des forges votre éclat,

Voici que vous logez de ce côté du Siècle où vous aviez vocation.

Basse époque, sous l'éclair, que celle qui s'éteint là!

Se hâter, se hâter! parole de vivants! Et vos aînés peut-être sur des civières seront-ils avec vous.

Et ne voyez-vous pas, soudain, que tout nous vient à bas — toute la mâture et tout, le gréement avec la vergue, et toute la voile à même notre visage — comme un grand pan de croyance morte, comme un grand pan de robe vaine et de membrane fausse —

Et qu'il est temps enfin de prendre la hache sur le pont? . . .»

«Enlèvement de clôtures, de bornes! Semences et barbes

36

Still the impatience is on all sides. And on every side, man, a stranger, raises his head to it all; the man at the plough on the black earth, the horseman on the highland, amid the polyps of the low sky, and the seaman in sight of the channels, in the explosion of his highest sail.

The Babouvist philosopher comes out of his door bare-headed. Three times over he sees the City struck by the sign of lightning, and three times over, under the thunderbolt, as though in a sword's flash, the City illuminated in its collieries and the vast installations of its harbour—a golgotha of scrap iron and garbage under the vast and poisonous tree of of the sky that bears its sceptre of branches like an old reindeer of the Sagas:

"O you whom the storm refreshes . . . freshness and promise of freshness . . .

Your countenance recovered from the gods, your radiance from the fire of the forges,

Behold, you take your stand on this side of the Century, where you followed your calling.

A vile era this, dying out beneath the lightning-flash!

Make haste, make haste! cry of the living! And your elders, perhaps on stretchers, will be at your side.

And do you not see, suddenly, that everything is crashing around us—all the masting and everything, the rigging with the main yard, and the whole sail over our faces—like a great fold of dead faith, like great folds of empty robes and false membranes—

And that at last, on deck, it is time to use the axe? . . . "

"Removal of enclosures, of boundary-stones! Seeds and

d'herbe nouvelle! Et sur le cercle immense de la terre, apaisement au cœur du Novateur . . .

Les grandes invasions doctrinales ne nous surprendront pas, qui tiennent les peuples sur leur angle comme l'écaille de la terre.

Se hâter, se hâter! l'angle croît! . . . Et dans l'acclamation des choses en croissance, n'y a-t-il pas pour nous le ton d'une modulation nouvelle?

Nous t'épierons, colchique d'or! comme un chant de tuba dans la montée des cuivres.

Et si l'homme de talent préfère la roseraie et le jeu de clavecin, il sera dévoré par les chiens.»

*

Au buffet d'orgues des passions, exulte, Maître du chant! Et toi, Poète, ô contumace et quatre fois relaps, la face encore dans le vent, chante à l'antiphonaire des typhons:

. . . «Vous qui savez, rives futures, où s'éveilleront nos actes, et dans quelles chairs nouvelles se lèveront nos dieux, gardez-nous un lit pur de toute défaillance . . .

Les vents sont forts! les vents sont forts! Écoute encore l'orage labourer dans les marbres du soir.

Et toi, désir, qui vas chanter, sous l'étirement du rire et la morsure du plaisir, mesure encore l'espace réservé à l'irruption du chant.

38

beards of new grass! And over the earth's immense circle, gratification in the heart of the Innovator . . .

We will not be surprised by the great doctrinal invasions which keep the peoples on an angle like the scales of the earth.

Make haste! make haste! the angle increases! And in the acclamation of increasing things, is there not the tone of a new modulation for us?

Golden crocus, like a tuba's song in the mounting brass, we shall watch for you!

And if the man of talent prefers the rose-garden and the playing of the harpsichord, he shall be devoured by the dogs."

*

Master of song, exult at the keyboard of the passions!

And you, Poet, O rebel, four times relapsed into your heresy, with your face still in the wind, sing from the Antiphonary of typhoons:

"Shores of the future, you who know where our acts will awaken and in what new flesh our gods will arise, keep for us a bed free of all failure . . .

The winds are strong! the winds are strong! Listen once more to the storm labouring in the marble quarries of the night.

And thou, desire, who art about to sing, sharpened by laughter and pleasure's sting, measure once more the space reserved for the irruption of the song.

39

Les revendications de l'âme sur la chair sont extrêmes. Qu'elles nous tiennent en haleine! Et qu'un mouvement très fort nous porte à nos limites, et au delà de nos limites!

Enlèvement de clôtures, de bornes . . . Apaisement au cœur du Novateur . . . Et sur le cercle immense de la terre, un même cri des hommes dans le vent, comme un chant de tuba . . . Et l'inquiétude encore de toutes parts . . . O monde entier des choses . . .»

*

Maugréantes les mers sous l'étirement du soir, comme un tourment de bêtes onéreuses engorgées de leur lait.

Murmurantes les grèves, parmi l'herbe grainante, et tout ce grand mouvement des hommes vers l'action,

Et sur l'empire immense des vivants, parmi l'herbe des sables, cet autre mouvement plus vaste que notre âge!

*

. . . Jusqu'à ce point d'écart et de silence où le temps fait son nid dans un casque de fer — et trois feuilles errantes autour d'un osselet de Reine morte mènent leur dernière ronde.

. . . Jusqu'à ce point d'eaux mortes et d'oubli en lieu d'asile et d'ambre, où l'Océan limpide lustre son herbe d'or parmi de saintes huiles — et le Poète tient son œil sur de plus pures laminaires.

The soul's claims on the flesh are extreme. May they keep us on the alert! And let some very powerful movement carry us to our limits, and beyond our limits.

Removal of enclosures, of boundary-stones . . . Gratification in the heart of the Innovator . . . And over the immense circle of the earth, within the wind the cry of all men, like the tuba's song . . . And again uneasiness everywhere . . . O entire world of things . . ."

*

Moaning and fretting of seas under the lengthening of night, like the torment of burdened beasts swollen with their milk,

Murmuring of beaches amid grass running to seed, and all this great migration of men toward action,

And over the immense empire of the living, amid the beach grass, that other migration vaster than our age!

*

. . . Up to this point of withdrawal and silence, where time builds its nest in an iron helmet — and three leaves, wandering round a dead Queen's knucklebone, dance their last dance.

. . . Up to this point of dead waters and oblivion in a place of asylum and amber, where the limpid ocean adds lustre to its grasses, golden amid sacred oils — and the Poet keeps his eye on purer laminariae.

41

7

. . . Eâ, *dieu de l'abîme, les tentations du doute seraient promptes*

Où vient à défaillir le Vent . . . Mais la brûlure de l'âme est la plus forte,

Et contre les sollicitations du doute, les exactions de l'âme sur la chair

Nous tiennent hors d'haleine, et l'aile du Vent soit avec nous!

Car au croisement des fiers attelages du malheur, pour tenir à son comble la plénitude de ce chant,

Ce n'est pas trop, Maître du chant, de tout ce bruit de l'âme —

Comme au grand jeu des timbres, entre le bol de bronze et les grands disques frémissants,

La teneur à son comble des grands essaims sauvages de l'amour.

«Je t'ai pesé, poète, et l'ai trouvé de peu de poids.

Je t'ai louée, grandeur, et tu n'as point d'assise qui ne faille.

42

7

. . . Eâ, god of the abyss, the temptations of doubt would be prompt

Were the wind to fail . . . But the fever of the soul prevails,

And contrary to the solicitations of doubt, may the demands of the soul on the flesh

Keep us breathless, and the wing of the Wind be with us!

For, when the proud chariot-teams of misfortune cross,

All this clamour of the soul is not excessive, O Master of the song, to maintain the fullness of this song at its height —

As, in the great ringing of bells, between the brass bowl and the great quivering disks,

Love's great savage swarms are maintained at their height.

"I have weighed you, poet, and found you of little weight.

I have praised you, grandeur, and found you faulty in all your foundations.

L'odeur de forges mortes au matin empuantit les antres du génie.

Les dieux lisibles désertaient la cendre de nos jours. Et l'amour sanglotait sur nos couches nocturnes.

Ta main prompte, César, ne force au nid qu'une aile dérisoire.

Couronne-toi, jeunesse, d'une feuille plus aiguë!
Le Vent frappe à ta porte comme un Maître de camp,
A ta porte timbrée du gantelet de fer.
Et toi, douceur, qui vas mourir, couvre-toi la face de ta toge
Et du parfum terrestre de nos mains . . .»

Le Vent s'accroisse sur nos grèves et sur la terre calcinée des songes!

Les hommes en foule sont passés sur la route des hommes,
Allant où vont les hommes, à leurs tombes. Et c'est au bruit
Des hautes narrations du large, sur ce sillage encore de splendeur vers l'Ouest, parmi la feuille noire et les glaives du soir . . .

Et moi j'ai dit: N'ouvre pas ton lit à la tristesse. Les dieux s'assemblent sur les sources,

Et c'est murmure encore de prodiges parmi les hautes narrations du large.

Comme on buvait aux fleuves incessants, hommes et bêtes confondus à l'avant-garde des convois,

Comme on tenait au feu des forges en plein air le long cri du métal sur son lit de luxure,

44

The odour of dead forges at dawn infests the caverns of genius.

All trace of the gods deserted the ashes of our days. And love sobbed on our nocturnal beds.

Caesar, your hasty hand forces from the nest but one derisive wing.

Crown yourself, youth, with a sharper-pointed leaf.

The Wind knocks at your door like the Master of the camp,

At your door crested with the iron gauntlet.

And gentleness, you who are about to die, bury your face in your toga,

In the earthy smell of our hands . . ."

Let the Wind increase on our shores and on the calcined land of dreams!

Multitudes of men have passed along man's road,

Going where men go, to their graves. And they go to the sound

Of the lofty narratives of space, still in this wake of splendour westward, between the black leaves and the blades of night . . .

And I have said: Do not open your bed to sorrow. The gods are assembling at the fountain-heads,

And there is a murmur of wonders once more in the lofty narratives of space.

Even as we drank from ceaseless rivers, men and animals mingled in the vanguard of the convoys,

Even as we held in the fire of the open-air forges the long scream of the metal on its bed of lust,

45

Je mènerai au lit du vent l'hydre vivace de ma force, je fréquenterai le lit du vent comme un vivier de force et de croissance.

Les dieux qui marchent dans le vent susciteront encore sur nos pas les accidents extraordinaires.

Et le poète encore est avec nous. Et c'est montée de choses incessantes dans les conseils du ciel en Ouest.

Un ordre de solennités nouvelles se compose au plus haut faîte de l'instant.

Et par là-bas mûrissent en Ouest les purs ferments d'une ombre prénatale—fraîcheur et gage de fraîcheur,

Et tout cela qu'un homme entend aux approches du soir, et dans les grandes cérémonies majeures où coule le sang d'un cheval noir . . .

S'en aller! s'en aller! Parole de vivant.

46

So I shall bring to the wind's bed the fiery hydra of my strength, I shall frequent the wind's bed as a breeding-ground of vigour and increase.

The gods who walk in the wind will again raise up extraordinary events along our paths.

And the poet is still with us. And in the councils of the Western sky recurrent signs are in the ascendant.

An order of new solemnities is composed at the instant's pinnacle.

And down there the pure ferments of a prenatal shadow mature in the West—freshness and promise of freshness,

And all that a man hears at the approaches of night, and in the great master ceremonies when the blood of a black horse flows . . .

Let us be gone! be gone! Cry of the living.

47

II

1

. . . Des terres *neuves, par là-bas, dans un très haut parfum d'humus et de feuillages,*

Des terres neuves, par là-bas, sous l'allongement des ombres les plus vastes de ce monde,

Toute la terre aux arbres, par là-bas, sur fond de vignes noires, comme une Bible d'ombre et de fraîcheur dans le déroulement des plus beaux textes de ce monde.

Et c'est naissance encore de prodiges, fraîcheur et source de fraîcheur au front de l'homme mémorable.

Et c'est un goût de choses antérieures, comme aux grands Titres préalables l'évocation des sources et des gloses,

Comme aux grands Livres de Mécènes les grandes pages liminaires — la dédicace au Prince, et l'Avant-dire, et le Propos du Préfacier.

. . . *Des terres neuves, par là-haut, comme un parfum puissant de grandes femmes mûrissantes,*

Des terres neuves, par là-haut, sous la montée des hommes de tout âge, chantant l'insigne mésalliance,

50

1

New lands, out there, in their very lofty perfume of humus and foliage,

New lands, out there, beneath the lengthening of this world's most expansive shadows,

All the land of trees, out there, its background of black vines, like a Bible of shadow and freshness in the unrolling of this world's most beautiful texts.

And once more there is birth of prodigious things, freshness and source of freshness on the brow of man, the immemorial.

And there is a taste of things anterior, like the evocation of sources and commentaries for the great preliminary Titles,

Like the great prefatory pages for the great Books of Maecenas — the Dedication to the Prince, and the Foreword, and the Authority's Introduction.

New lands, up there, like a powerful perfume of tall women ripening,

New lands, up there, beneath the ascent of men of every age, singing the signal misalliance,

Toute la terre aux arbres, par là-haut, dans le balancement de ses plus beaux ombrages, ouvrant sa tresse la plus noire et l'ornement grandiose de sa plume, comme un parfum de chair nubile et forte au lit des plus beaux êtres de ce monde.

Et c'est une fraîcheur d'eaux libres et d'ombrages, pour la montée des hommes de tout âge, chantant l'insigne mésalliance,
Et c'est une fraîcheur de terres en bas âge, comme un parfum des choses de toujours, de ce côté des choses de toujours,
Et comme un songe prénuptial où l'homme encore tient son rang, à la lisière d'un autre âge, interprétant la feuille noire et les arborescences du silence dans de plus vastes syllabaires.

Toute la terre nouvelle par là-haut, sous son blason d'orage, portant cimier de filles blondes et l'empennage du Sachem,
Toute la terre nubile et forte, au pas de l'Étranger, ouvrant sa fable de grandeur aux songes et fastes d'un autre âge,
Et la terre à longs traits, sur ses plus longues laisses, courant, de mer à mer, à de plus hautes écritures, dans le déroulement lointain des plus beaux textes de ce monde.

*

Là nous allions, la face en Ouest, au grondement des eaux nouvelles. Et c'est naissance encore de prodiges sur la terre des hommes. Et ce n'est pas assez de toutes vos bêtes peintes, Audubon! qu'il ne m'y faille encore mêler quelques espèces disparues:

52

All the land of trees, up there, in the swaying of its most beautiful shades, opening the blackest of its tresses and the imposing ornament of its plumage, like a perfume of flesh, nubile and vigorous, in the bed of this world's most beautiful beings.

And there is a freshness of free waters, of shades, for the ascent of men of every age, singing the signal misalliance,
And there is a freshness of lands in infancy, like a perfume of things everlasting, on this side of everlasting things,
And like a prenuptial dream wherein man, on the verge of another age, retains his rank, interpreting the black leaf and the arborescences of silence in vaster syllabaries.

All the land, up there, new beneath its blazonry of storm, wearing the crest of golden girls and the feathered head-dress of the Sachem,
All the nubile and vigorous land, in the steps of the Stranger, opening up the fable of its grandeur to the dreams and pageantries of another age.
And the land in its long lines, on its longest strophes, running, from sea to sea, to loftier scriptures, in the distant unrolling of this world's most beautiful texts.

∗

Thither were we going, westward-faced, to the roaring of new waters. And once more there is birth of prodigious things in the land of men. And all your painted birds are not enough, O Audubon, but I must needs add unto them some

53

le Ramier migrateur, le Courlis boréal et le Grand Auk . . .

Là nous allions, de houle en houle, sur les degrés de l'Ouest. Et la nuit embaumait les sels noirs de la terre, dès la sortie des Villes vers les pailles, parmi la chair tavelée des femmes de plein air. Et les femmes étaient grandes, au goût de seigles et d'agrumes et de froments moulés à l'image de leur corps.

Et nous vous dérobions, ô filles, à la sortie des salles, ce mouvement encore du soir dans vos chevelures libres — tout ce parfum d'essence et de sécheresse, votre aura, comme une fulguration d'ailleurs . . . Et vos jambes étaient longues et telles qu'elles nous surprennent en songe, sur les sables, dans l'allongement des feux du soir . . . La nuit qui chante aux lamineries des Villes n'étire pas chiffre plus pur pour les ferronneries d'un très haut style.

Et qui donc a dormi cette nuit? Les grands rapides sont passés, courant aux fosses d'un autre âge avec leur provision de glace pour cinq jours. Ils s'en allaient contre le vent, bandés de métal blanc, comme des athlètes vieillissants. Et tant d'avions les prirent en chasse, sur leurs cris! . . .

Les fleuves croissent dans leurs crues! Et la fusée des routes vers l'amont nous tienne hors de souffle! . . . Les Villes à sens unique tirent leur charge à bout de rues. Et c'est ruée encore de filles neuves à l'An neuf, portant, sous le nylon, l'amande fraîche de leur sexe.

Et c'est messages sur tous fils, et c'est merveilles sur toutes ondes. Et c'est d'un même mouvement à tout ce mouvement lié, que mon poème encore dans le vent, de ville en ville et fleuve en fleuve, court aux plus vastes houles de la terre, épouses elles-mêmes et filles d'autres houles . . .

54

species now extinct: the Passenger-Pigeon, the Northern Curlew, and the Great Auk . . .

Thither were we going, from swell to swell, along the Western degrees. And, from the outskirts of the cities toward the stubble-fields, amidst the freckled flesh of women of the open air, the night was fragrant with the black salts of the land. And the women were tall, with the taste of citrus and rye, and of wheat seeds moulded in the image of their bodies.

And from you, O girls, at the doors of the halls, we ravished that continuous stir of evening in your free-breathing hair—all that odour of heat and dryness, your aura, like a flash of light from elsewhere . . . And your legs were long and like those that surprise us in dreams, on the sands, in the lengthening out of the day's last rays . . . Night, singing among the rolling-mills of the cities, draws forth no purer cipher for the ironwork of a very lofty style.

And who, then, has been to sleep this night? The great expresses have gone by, hastening to the chasms of another age, with their supply of ice for five days. They were running against the wind, strapped with white metal, like aging athletes. And, on their cries, so many airplanes gave chase! . . .

Let the rivers in their risings multiply! And the roads that go rocketing upwards hold us breathless! . . . The one-way Cities haul their loads to the open roads. And once more there is a rush of new girls to the New Year, wearing, under the nylon, the fresh almond of their sex.

And there are messages on every wire, marvels on every wave. And in this same movement, to all this movement joined, my poem, continuing in the wind, from city to city and river to river, flows onward with the highest waves of the earth, themselves wives and daughters of other waves . . .

2

... P<small>LUS</small> *loin, plus haut, où vont les hommes minces sur leur selle; plus loin, plus haut, où sont les bouches minces, lèvres closes.*

La face en Ouest pour un long temps. Dans un très haut tumulte de terres en marche vers l'Ouest. Dans un déferlement sans fin de terres hautes à l'étale.

Et c'est fini, derrière nous, dans l'œil occulte qui nous suit, de voir monter le haut retable de la mer comme le grand Mur de pierre des Tragiques.

Et il y avait cette année-là, à vos portes de corne, tout ce parfum poignant de bêtes lourdes, mufle bas, sur les divinations errantes de la terre et la rumeur croissante des conques souterraines.

L'Hiver crépu comme Caïn, créant ses mots de fer, règne aux étendues bleues vêtues d'écailles immortelles,

Et la terre à son comble, portant tribut d'États nouveaux, assemble, d'aire en aire, ses grands quartiers de bronze vert où s'inscrivent nos lois.

56

2

. . . FARTHER on, further up, where the thin men go on their saddles: farther on, further up, to where the thin mouths are, with sealed lips.

For a long time westward-faced. In a very high tumult of lands on the westward march. In an endless unrolling of highlands at their highest flood.

And behind us, in the occult eye which follows us, the end has come of seeing the sea's tall reredos arise like the great stone Wall of the Tragedies.

And in that year, before your doors of horn, there was all that poignant perfume of heavy beasts, their muzzles down, on the roving divinations of the land and the mounting rumour of conches underground.

Winter, crisp as the hair of Cain, creating its iron words, reigns over the blue expanses clad in scales of immortality,

And the earth in its fullness, bearing tribute of new States, from area to area assembles its great blocks of green bronze whereon our laws are inscribed.

57

Et par là, c'est le Vent! . . . Qu'il erre aux purs lointains givrés des poudres de l'esprit:

Partout où l'arbre Juniper aiguise sa flamme de sel noir, partout où l'homme sans mesure songe à lever pierre nouvelle;

En lieux jonchés de lances et de navettes d'os, en lieux jonchés de sabots morts et de rognures d'ailes;

Jusqu'à ces hauts récifs de chênes et d'érables, gardés par les chevaux de frise des sapins morts,

Jusqu'à ces lourds barrages pris de gel, où l'An qui passe, l'autre automne, tenait encore si haute école de déclamation;

Sur les glacis et sur les rampes et tous ces grands versants offerts au vent qui passe comme un arroi de lances à l'arrêt,

Sur tout ce hérissement de fer aux chevaleries du sol et tout ce ban de forces criant l'host, sur toute cette grande chronique d'armes par là-bas

Et ces grandes proses hivernales, qui sont aux laines du Vieux Monde la louveterie du Nouveau Monde . . .

De grandes œuvres à façon, de grandes œuvres durement se composent-elles aux antres de l'An neuf?

Et l'Hiver sous l'auvent nous forge-t-il sa clef de grâce?

« . . . Hiver bouclé comme un bison, Hiver crispé comme la mousse de crin blanc,

Hiver aux puits d'arsenic rouge, aux poches d'huile et de bitume,

Hiver au goût de skunk et de carabe et de fumée de bois de hickory,

And over there is the Wind! . . . Let it wander to the pure far distances powdered with the spirit's frost:

Wherever the Juniper tree points its black salt flame, wherever man, ignorant of measure, dreams of raising new stone;

In places strewn with lances and shuttles of bone, in places strewn with dead hooves and mangled wings;

Up to those high reefs of maples and oaks, guarded by the chevaux-de-frise of dead firs,

Up to those heavy falls, now frozen over, where, last autumn, the passing year held so eminent a school of declamation;

On the granite descents and on the gradients and on all those wide slopes tendered to the passing wind like an array of couched lances,

On all this bristling of steel at the chivalries of the soil and all this host of forces called to war, on all that great chronicle of arms out there

And this great winter prose that is, to the Old World's flocks, the wolf-lore of the New World . . .

Are great works on order, are great works in travail within the lairs of the New Year?

And under the eaves is Winter forging for us its key of grace?

". . . Winter curly as a bison, Winter crinkled as white horsehair moss,

Winter with wells of red arsenic, with pockets of oil and bitumen,

Winter with the taste of skunk, of carabus and smoke of hickory wood,

Hiver aux prismes et cristaux dans les carrefours de diamant noir,

Hiver sans thyrses ni flambeaux, Hiver sans roses ni piscines,

Hiver! Hiver! tes pommes de cèdre de vieux fer! tes fruits de pierre! tes insectes de cuivre!

Tant de vers blancs d'onyx, et d'ongles forts, et de tambours de corne où vit la pieuvre du savoir,

Hiver sans chair et sans muqueuse, pour qui toute fraîcheur gît au corps de la femme . . .»

Et la Terre ancillaire, mise à nu, refait au Ciel d'hiver le lit de sa servante.

Et vous pouvez, ô Nuit, chanter les eaux nouvelles dans le grès et dans les auges de bois rouge!

Voici les baies de laque rose et le corail des sorbes, pour vos noces indiennes,

Et le fruit cramoisi d'un sumac cher aux poules de bruyère . . .

«. . . Hiver bouclé comme un traitant et comme un reître, vieux soldat de métier à la solde des prêtres,

Hiver couleur de vieilles migrations célestes, et de pelleteries errantes sur la terre des forts,

Hiver en nous radieux et fort! Hiver, Hiver, dans la splendeur des haches et l'obscurcissement des socs!

Hiver, Hiver, au feu des forges de l'An noir! Délivre-nous d'un conte de douceur et des timbales de l'enfance sous la buée du songe.

Enseigne-nous le mot de fer, et le silence du savoir comme le

60

Winter with prisms and crystals at the black diamond cross-roads,

Winter without thyrsi or torches, winter without roses or pools,

Winter! Winter! your cedar-apples of old iron! your stone fruits! your brass insects!

So many grubs of onyx, and strong claws, and drums of horn wherein the octopus of knowledge dwells,

Winter without flesh or fruit, for whom all freshness rests within the body of woman . . ."

And the ministrant Earth, stripped naked, remakes her ancillary bed for the winter Sky,

And you may sing, O Night, of new waters in the sandstone and the troughs of red wood:

Here, for your Indian nuptials, are the berries of rose-coloured lacquer and the coral of sorb-apples,

And the crimson fruit of a sumac, savoured by briar-hens . . .

". . . Winter curly as a trader, as a mercenary, old soldier of fortune in the pay of the priests,

Winter, colour of old migrations in the sky and of peltries scudding across the land of the strong,

Winter radiant and strong within us! Winter, Winter, in the splendour of axes and the obscuration of ploughshares!

Winter, Winter, in the fire of the black Year's forges! Deliver us from a tale of gentleness and the cool moisture of dream forming on childhood's silver mugs.

Teach us the iron word, and the silence of knowledge,

61

sel des âges à la suture des grands vaisseaux de fonte oubliés du fondeur . . .»

Au seuil d'un grand pays nouveau sans titre ni devise, au seuil d'un grand pays de bronze vert sans dédicace ni millésime,
Levant un doigt de chair dans la ruée du vent, j'interroge, Puissance! Et toi, fais attention que ma demande n'est pas usuelle.
Car l'exigence en nous fut extrême, et tout usage révoqué — comme à la porte du poète la sollicitation de quelque mètre antique, alcaïque ou scazon.
Et mon visage encore est dans le vent. Avec l'avide de sa flamme, avec le rouge de son vin! . . . Qu'on se lève avec nous aux forceries du vent! Qu'on nous donne, ô vivants! la plénitude de notre dû . . .

Je t'interroge, plénitude! — Et c'est un tel mutisme . . .

like the salt of ages at the seams of great cast-iron vessels forgotten by the caster . . ."

At the threshold of a great new country without title or device, at the green threshold of a great bronze country without dedication or date,

Lifting a finger of flesh in the rush of the wind, I question, O Power! And you, take note that my query is not commonplace.

For the exigency within us was extreme, and all usage revoked—like the solicitations, at the poet's door, of some antique metre, alcaic or scazon.

And still my face is in the wind. With the greed of its flame, with the red of its wine! . . . Let all of you rise with us to the forcing-places of the wind! Let us receive, O living ones! the plenitude of our due . . .

You I question, O plenitude!—And there is such a silence . . .

. . . DE HAUTES *pierres dans le vent occuperaient encore mon silence. — Les migrations d'oiseaux s'en sont allées par le travers du Siècle, tirant à d'autres cycles leurs grands triangles disloqués. Et c'est milliers de verstes à leur guise, dans la dérivation du ciel en fuite comme une fonte de banquises.*

Aller! où vont toutes bêtes déliées, dans un très grand tourment de l'aile et de la corne . . . Aller! où vont les cygnes violents, aux yeux de femmes et de murènes . . .

Plus bas, plus bas, où les vents tièdes essaiment, à longues tresses, au fil des mousses aériennes . . . Et l'aile en chasse par le monde fouette une somme plus mobile dans de plus larges mailles, et de plus lâches . . .

Je te connais, ô Sud pareil au lit des fleuves infatués, et l'impatience de ta vigne au flanc des vierges cariées. On ne fréquente pas sans s'infecter la couche du divin; et ton ciel est pareil à la colère poétique, dans les délices et l'ordure de la création.

Je sais qu'au fond des golfes assouvis, comme des fins d'Empires, la charge mâle du désir fait osciller la table des eaux libres,

3

. . . Once more tall stones in the wind would occupy my silence. — Migrations of birds have departed across the breadth of the Century, drawing to other cycles their great dislocated triangles. And there are millions of versts open to them, and the fleeing sky adrift like ice-floes melting.

To go! where all the unleashed animals go, in a very great torment of wing and of horn . . . To go! where go the violent swans, with women's eyes and the eyes of morays . . .

Further down, further down, where the warm winds stream, with long tresses flying among aerial mosses . . . And the wing which courses through the world whirls a more mobile mass into larger, looser meshes . . .

I know you, O South like the bed of infatuated rivers, and your vine's impatience on the flanks of carious virgins. One does not visit the bed of the god without infection; and your sky is like the poetic wrath, in the delight of filth and of creation.

I know that in the satiated gulfs, like Empires at an end, the male burden of desire causes the surface of free waters to oscillate,

Et j'abîmerai ma face de plaisir dans ces dénivellements plus vastes qu'il n'en règne aux rampes vertes des rapides — lividités en marche vers l'abîme et ses torsions d'aloès . . .

La mer solde ses monstres sur les marchés déserts accablés de méduses. Vente aux feux des enchères et sur licitation! Toute la somme d'ambre gris comme un corps de doctrine!

C'est la mer de Colomb à la criée publique, vieilles cuirasses et verrières — un beau tumulte d'exorcisme! — et la grande rose catholique hors de ses plombs pour l'antiquaire.

Ah! qu'une aube nouvelle s'émerveille demain dans de plus vertes gemmes, ce n'est pas moi qui raviverai l'épine au cœur des saisons mortes.

La face fouettée d'autres enseignes, se lèvent, à leur nom, les hommes tard venus de ce côté des grandes eaux. Douces au pas du Novateur seront ces boues actives, ces limons fins où s'exténue l'extrême usure reconquise.

Et du pays des bûcherons descendent les fleuves sous leurs bulles, la bouche pleine de limaille et de renouée sauvage.

Et la beauté des bulles en dérive sur les grands Livres du Déluge n'échappe pas aux riverains. Mais de plus hautes crues en marche vers le large descendent, rang sur rang, les degrés de mon chant, au bruit des grandes évacuations d'œuvres mortes de ce siècle . . .

And enraptured shall I plunge my face into these broad swells vaster than any that reign on the rapids' green inclines—livid flashes marching toward the abyss and its torsions, colour of aloes . . .

On deserted markets, glutted with medusas, the sea unloads its monsters. Selling in the heat of bids and by auction! The full sum of ambergris like a body of doctrine!

It is the sea of Columbus up at public auction, old breast plates and stained glass—a fine uproar of exorcisms!—and, for the antiquarian, the great Catholic rose out of its leaden frames.

Ah, should a new dawn, tomorrow, marvel among gems more green, it will not be I who revives the thorn in the heart of the dead seasons.

Their faces ardent under new signs, the latecomers to this side of the great waters stand forth at the sound of their names. Soft to the feet of the Innovator will be these mires astir, these fine clays of erosion, wherein the ultimate silt, recovered, is being worn down yet again.

And from the woodcutters' country the rivers descend under their bubbles, their mouths full of filings and wild knot-grass.

And the beauty of bubbles adrift on the great Books of the Deluge does not escape those who dwell beside the rivers. But higher floods on the march to the open sea descend the degrees of my song, rank on rank, to the sound of the great evacuations of dead works of this century . . .

4

. . . GUIDEZ, ô chances, vers l'eau verte les grandes îles *alluviales arrachées à leur fange! Elles sont pétries d'herbage, de gluten; tressées de lianes à crotales et de reptiles en fleurs. Elles nourrissaient à leurs gluaux la poix d'un singulier idiome.*

Coiffées de chouettes à présages, aimantées par l'œil noir du Serpent, qu'elles s'en aillent, au mouvement des choses de ce monde, ah! vers les peuplements de palmes, vers les mangles, les vases et les évasements d'estuaires en eau libre,

Qu'elles descendent, tertres sacrés, au bas du ciel couleur d'anthrax et de sanie, avec les fleuves sous leurs bulles tirant leur charge d'affluents, tirant leur chaîne de membranes et d'anses et de grandes poches placentaires—toute la treille de leurs sources et le grand arbre capillaire jusqu'en ses prolongements de veines, de veinules . . .

Des essaims passent en sifflant, affranchis de la ruche—une mitraille d'insectes durs comme de la corne! . . . Anguilles aux berges se frayeront leurs routes de spirilles . . .

68

4

. . . O CHANCES, guide toward the green water the great alluvial islands wrested from their slime! They are moulded from grass, from gluten; interwoven with snake-bearing lianas and flowering reptiles. Among their lime-twigs they nourished the pitch of a peculiar idiom.

Capped with owls of omen, magnetized by the Serpent's black eye, let them go on, to the movement of the things of this world, ah! toward the groves of wild palms, toward the mangroves, the mud-flats, and the opening out of estuaries into free waters,

Let them go down, like sacred mounds, at the edge of a sky the colour of anthrax and sanies, with rivers under their bubbles pulling their load of tributaries, pulling their chain of membranes, viscera, and great placentary pouches—all the vine of their sources and the great capillary tree, from its least tracery of veins and veinlets . . .

Swarms whistle by, freed of the hive—grapeshot of insects hard as horn! . . . Eels, like spirilla, will worm their way into the banks . . .

Et l'Oiseau Anhinga, la dinde d'eau des fables, dont l'exis-
tence n'est point fable, dont la présence m'est délice et ravisse-
ment de vivre — et c'est assez pour moi qu'il vive —

A quelle page encore de prodiges, sur quelles tables d'eaux
rousses et de rosettes blanches, aux chambres d'or des grands
sauriens, apposera-t-il ce soir l'absurde paraphe de son col?

*

Présages en marche. Vent du Sud. Et grand mépris des
chiffres sur la terre! «Un vent du Sud s'élèvera . . .» C'est assez
dire, ô Puritaines, et qu'on m'entende: tout le lait de la femme
s'égarera-t-il encore aux lianes du désir?

Les plus beaux arbres de la terre léguant leurs feuilles dans
le vent sont mis à nu hors de saison. La vie dans ses ruptures de
volves se rit des avortements de bêtes en forêt. Et l'on a vu, et l'on
a vu — et ce n'est pas que l'on n'en ait souci —

Ces vols d'insectes par nuées qui s'en allaient se perdre au
large comme des morceaux de textes saints, comme des lambeaux
de prophéties errantes et des récitations de généalogistes, de
psalmistes . . . On leur a dit, on leur a dit — ah! que ne leur
disait-on pas? — qu'ils s'allaient perdre sur les mers, et qu'il
fallait virer de bord; on leur criait, on leur criait — ah! que ne
leur criait-on pas? — qu'ils s'en revinssent, ah! s'en revinssent
parmi nous . . . Mais non! ils s'en allaient plutôt par là, où
c'est se perdre avec le vent! (Et qu'y pouvions-nous faire?)

And Anhinga, the Bird, fabled water-turkey whose existence is no fable, whose presence is my delight, my rapture of living — it is enough for me that he lives —

To which page of prodigies again, on what tables of russet waters and white rosettes, in the golden rooms of the great saurians, will he affix tonight the absurd paraph of his neck?

*

Omens on the march. South Wind. And great contempt for ciphers all over the earth! "A South Wind will arise . . ." Enough has been said, O Puritan maids, and may I be understood: shall all the milk of woman once again be lost to the lianas of desire?

Bequeathing their leaves to the wind, the earth's most beautiful trees are stripped bare out of season. Life, in its ruptures of volvas, scoffs at the abortions of beasts in the forest. And one has seen, and one has seen — and it is no matter of unconcern —

Those flights of insects going off in clouds to lose themselves at sea, like fragments of sacred texts, like the tatters of errant prophecies and of recitations by genealogists, by psalmists . . . One has told them, one has told them — ah! what has one not told them? — that they would lose themselves on the seas, and that they should put about; one cried to them, one cried to them — ah! what did one not cry to them? — that they should return, ah! should return among us . . . But no! they went that way instead, where one is lost with the wind! (And what could we do about it?)

71

Les migrations de crabes sur la terre, l'écume aux lèvres et la clé haute, prennent par le travers des vieilles Plantations côtières, enclouées pour l'hiver comme des batteries de Fédéraux. Les blattes brunes sont dans les chambres de musique et la réserve à grain; les serpents noirs lovés sur la fraîcheur des lins, aux buanderies de camphre et de cyprès.

Et nul n'a vu s'enfuir les Belles, des hautes demeures à colonnes, ni leurs sœurs alezanes dans leur beau jeu d'écume et de gourmettes. Mais sur la terre rouge et or de la création, ah! sur la terre de vin rose, couleur de pousses de manguiers, n'ai-je pas vu,

Ivre d'éthyle et de résine dans la mêlée des feuilles de tout âge — comme au rucher de sa parole, parmi le peuple de ses mots, l'homme de langage aux prises avec l'embûche de son dieu — n'ai-je pas vu le Voyageur d'antan chanceler et tituber, sur la chaussée de mangues roses et vertes — ou jaune feu mouchetées de noir — parmi le million de fruits de cuir et d'amadou, d'amandes monstrueuses et de coques de bois dur vidant leurs fèves minces et leurs lentilles rondes, comme menuaille de fétiches? . . .

*

O toi qui reviendras, sur les derniers roulements d'orage, dans la mémoire honnie des roses et la douceur sauvage de toutes choses reniées, qu'as-tu donc foulé là, sur les grands lits d'ébène et de burgau, de chair radieuse encore entre toutes chairs humaines, périssables?

72

With foam on their lips and claws held high, the migrations of crabs over the earth march across old coastal plantations boarded up for the winter like disabled Federal batteries. Brown cockroaches are in the music rooms and the granary; black serpents coiled on the linens' freshness in the camphor and cypress laundries.

And no one saw the Belles fleeing from the tall columned dwellings, nor their chestnut sisters in the beautiful play of curb-chains and foam. But over the red and gold land of creation, ah! over the land of rose-red wine, colour of the sprouts of mango trees, did I not see,

Drunk with ethyl and rosin in the mêlée of every age's leaves, as though in the apiary of his speech, among the population of his words, the man of language grappling with the ambush of his god, did I not see the Voyager of yesteryear stagger and reel along the avenue strewn with rose and green mangoes — or flame-yellow flecked with black — among the million fruits of leather and amadou, of monstrous almonds and hardwood shells emptying their slender beans and round lentils, like handfuls of small fetishes? . . .

*

O you who will return on the last rumblings of the storm, in the spurned memory of roses and the savage sweetness of everything disavowed, what is it, then, that you have embraced there. on the great beds of ebony and mother-of-pearl, but flesh still radiant amidst all human flesh which must die?

73

Les vents peut-être enlèveront-ils, avec nos Belles d'une nuit, la fraîche demeure de guipure blanche aux ferronneries d'argent, et tous ses lustres à verrines et toutes ses malles de famille, les robes du soir dans les penderies, et les papiers de l'Étranger . . .

Nos bêtes alors, toutes sellées, s'irriteront de l'ongle et du sabot au bruit d'écaille et d'os des vieilles terrasses de brique rose. Et cela est bien vrai, j'en atteste le vrai. L'ulcère noir grandit au fond des parcs où fut le lit d'Été des Belles . . . Quelques passes d'armes encore, au bas du ciel d'orage, éclairent à prix d'or les dernières palpitations d'alcôves, en Ouest . . . Et que l'Aigle pêcheur, dans tout ce bel émoi, vienne à lâcher sa proie sur la piscine de vos filles, c'est démesure encore et mauvais goût dans la chronique du poète. — S'en aller! s'en aller! Parole du Prodigue.

Perhaps the winds will carry off, with our Belles of one night, the cool dwelling of white guipure lace with silvery ironwork, and all its chandeliers with hurricane shades and all its family trunks, the evening dresses in the dressing-rooms, and the papers of the Stranger . . .

Then our beasts, all saddled, will feel, in their hooves and nails, the irritation of the shell and bone sound on the old rose brick terraces. And that is quite true, I vouch for its truth. The black ulcer is growing in the heart of the parks where stood the summer bed of the Belles . . . A few passages of arms, low in the stormy sky, still illuminate, with flashes of gold in the West, the last palpitations of alcoves. And in all this fervour, should the fishing Eagle drop its prey into your daughters' pool, it is again excessive and in bad taste in the poet's chronicle. — Let us be gone! be gone! Cry of the Prodigal.

Aɪɴsɪ *dans le foisonnement du dieu, l'homme lui-même foisonnant . . . Ainsi dans la dépravation du dieu, l'homme lui-même forlignant . . . Homme à la bête. Homme à la conque. Homme à la lampe souterraine.*

Et il y a là encore matière à suspicion . . . Et comme un homme né au battement d'ailes sauvages sur les grèves, lui faudra-t-il toujours fêter l'arrachement nouveau?

Aux pays du limon où cède toute chair, la femme à ses polypes, la terre à ses fibromes, c'était tout un charroi de vases dénouées, comme de linges d'avorteuses.

Les roses noires des Cantatrices descendaient au matin les fleuves souillés d'aube, dans les rousseurs d'alcools et d'opiums. Et les ferronneries de Veuves, sur les patios déserts, haussaient en vain contre le temps leur herse de corail blanc. «De tout j'ai grande lassitude . . .» Nous connaissons l'antienne. Elle est du Sud . . .

Ah! qu'on m'éteigne, ah! qu'on m'éteigne aux lames des persiennes ces grands bonheurs en peine, sur cour ou sur jardin,

5

Thus in the abundance of the god, man himself abounding . . . Thus in the depravation of the god, man himself betraying his race . . . The man with the beast. The man with the conch. The man with the subterranean lamp.

And still there is cause there for suspicion . . . And like a man born to the beating of wild wings on the shores, must he always be celebrating a new uprooting?

In the lands of silt where all flesh yields, the woman to her polyps, the earth to its tumours, there was a whole carriage of loosened slime, like the rags of abortionists.

In the morning the black roses of Opera Singers floated down the rivers soiled with dawn, in the yellow-reds of alcohol and opium. And the iron gates of the Widows, in deserted patios, raised in vain against time their white coral portcullis. "Great is my lassitude toward everything . . ." We know the refrain. It is the South . . .

Ah! let them shut out for me, ah! let them shut out for me, between the blades of the shutters, on courtyard and on

ces grandes clartés d'ailleurs, où toute palme offerte est déjà lourde de son ombre.

(Et l'Émissaire nous trahit dans l'instant même du message. Et qu'est-ce là qui m'est ravi, dans ce renversement soudain des camphriers en fleurs — lingeries froissées à tous les souffles? . . . Et l'alizé vient à manquer, dans les salons déserts, aux gouffres de tulle des croisées . . .)

Un goût de tubéreuse noire et de chapelle ardente fait se cabrer la bête au passage des fêtes. L'ombre monte ses masques et ses fougères redoutables dans les chambres d'albâtre.

Et la Mort qui songeait dans la beauté des femmes aux terrasses avivera ce soir d'un singulier éclat l'étoile au front de l'Étrangère qui descend seule, après minuit, la nuit royale des sous-sols vers la piscine de turquoise illuminée d'azur.

*

Ah! oui, que d'autres zestes nous trahissent dans nos boissons de limons verts; d'autres essences dans nos songes, sur les galeries d'attente des aéroports! Et vous tiendrez plus forte, ô vents! la torche rouge du réveil.

Avertissement du dieu! Aversion du dieu! . . . Aigle sur la tête du dormeur. Et l'infection dans tous nos mets . . . J'y

garden, those great flashes of lost happiness, those great lights from elsewhere, where every proffered palm is already weighted with its shadow.

(And the Emissary betrays us in the very instant of the message. And of what have I been robbed there, in this sudden reversal of flowering camphor-trees—lingerie rumpled by every breath of wind? And the trade wind forsakes us, in the deserted drawing-rooms, at the tulle whirlpools of the casements . . .)

A taste of black tuberose and mortuary chapel causes the animal to rear at the passing festivals. Darkness ascends, bringing its masks and its ominous ferns into the alabaster rooms.

And Death, who has been dreaming deep within the beauty of the women on the terraces, this evening will brighten, with a singular radiancy, the star on the brow of the Stranger, a woman alone, who, after midnight, descends along the royal night of the basement toward the turquoise swimming-pool illuminated with azure.

*

Ah, yes, let other zests betray us in our green lime drinks; other essences in our dreams, in the waiting-galleries of airports! And you, O winds, will strengthen the red torch of awakening.

Warning of the god! Aversion of the god! . . . Eagle over the sleeper's head. And the infection in our every dish

aviserai. — La face encore en Ouest! au sifflement de l'aile et du métal! Avec ce goût d'essence sur les lèvres . . . Avec ce goût poreux de l'âme, sur la langue, comme d'une piastre d'argile . . .

C'est de pierre aujourd'hui qu'il s'agit, et de combler, d'un seul tenant, l'espace de pierre entre deux mers, le temps de pierre entre deux siècles. — Laisse peser, à fond de toile, sous le gruau des pluies,

Le fleuve gras qui trait, en son milieu, toute la fonte d'un pays bas, comme aux plus basses lunaisons, sous la pesée du ciel gravide, toute l'entraille femelle hors de ses trompes, de ses cornets et de ses conques . . .

Nos routes dures sont en Ouest, où court la pierre à son afflux. S'émacier, s'émacier jusqu'à l'os! à bout de vol et d'acier fin, à bout d'antennes et de rémiges, vers ce pays de pierre et d'os où j'ai mes titres et créances.

Là vont toutes choses s'élimant, parmi les peuplements d'oponces, d'aloès, et tant de plantes à plumules; parmi l'orage magnétique, peignant au soufre de trois couleurs l'exhalaison soudaine d'un monde de stupeur.

Un peuple encore se lèvera-t-il dans les vergers de cuivre rouge? Les vallées mortes, à grands cris, s'éveillent dans les gorges, s'éveillent et fument à nouveau sur leurs lits de shamans!

Les vents sentent les feux sur d'invisibles seuils. Le porche d'argile est sans vantail. La cruche suspendue dans les fauveries du soir . . . Moins poreuse l'argile aux flancs des filles de grand hâle, assouvies de sécheresse.

80

. . . I shall look to it. — Still facing westward! to the whistling of wing and metal! With this taste of essence on the lips . . . With this porous taste of the soul, on the tongue, like that of a clay piastre . . .

Today it is wholly a matter of stone, and of building into a single block, the stone place between two seas, the stone time between two centuries. — Let the slimy river lie heavy and deep in its bed under the groats of rain,

Drawing along, in its very centre, all the melting of a low land, as during the lowest lunations, under the weight of the gravid sky, all the feminine entrails from their tubes, cornets and conches . . .

Our rough roads are to the West, where stone runs to its afflux. Emaciation, emaciation to the bone! to the limit of flight, of drawn steel, to the limit of feelers, of wing-tips, toward this land of stone and bone where my titles and credits stand.

Thither go all things, fining down, amidst the colonies of cacti, of aloes, and so many plants with plumules; amidst the magnetic storm, painting with three sulphur colours the sudden exhalation of a world of stupor.

Will a people arise again in the red copper orchards? The dead valleys awaken in their gorges, with great cries awaken and smoke again on their shamans' beds!

On invisible thresholds the winds smell of fires. The clay patio has no gates. In the fulvous colours of evening, the water-jug is hanging . . . Less porous the clay on the flanks of girls deeply burned by the sun, sated with dryness.

C'est par là-haut qu'il faut chercher les dernières chances d'une ascèse. La face libre jusqu'à l'os, la bouche au dur bâillon du vent, et du front nu pesant au cuir de fronde des rafales, comme à la sangle du haleur,

Nous remonterons l'âpre coulée de pierre dans un broiement d'élytres, de coraux. Nous y chercherons nos failles et fissures. Là où l'entaille fait défaut, que nous ravisse l'aplomb lui-même, sur son angle!

Et nous coucherons ce soir nos visions princières sur la coutellerie de pierre du paria . . . Sur les hauts-fonds de pâte mauve entachés de scléroses, c'est un bilan de cornes, de bu-crânes, dragués par les vents crus.

Les Cavaliers sur les mesas, foulant la poterie des morts et les squelettes de brebis roses, consument en plein ciel un lieu de poudres et d'esquilles . . . Une aigle d'armorial s'élève dans le vent.

It is up there one must look for the last chances of an ascetic rule. With our faces bare to the bone, our mouths to the wind's harsh gag, and our naked brows leaning on the leather sling of squalls, as though on the carrier's strap,

We shall remount the rough stone run in a grinding of wing-cases, of corals. There we shall search for our faults and fissures. There, where the notch is lacking, let the sheer bluff above ravish us!

And tonight we shall lay our princely visions down on the stone knives of the pariah . . . On the mauve chalk shelves encrusted with sclerosis, there is a final accounting of horns, of bucranes, dredged up by the raw winds.

The Horsemen on the mesas, trampling underfoot the pottery of dead men and the rose-coloured skeletons of sheep, raise up toward the open sky a burnt soil of powders and bone splinters . . . An heraldic eagle arises in the wind.

6

... Et du *mal des ardents tout un pays gagné, avant le soir, s'avance dans le temps à la rencontre des lunes rougissantes. Et l'An qui passe sur les cimes ... ah! qu'on m'en dise le mobile! J'entends croître les os d'un nouvel âge de la terre.*

Souvenirs, souvenirs! qu'il en soit fait de vous comme des songes du Songeur à la sortie des eaux nocturnes. Et que nous soient les jours vécus comme visages d'innommés. L'homme paisse son ombre sur les versants de grande transhumance! ...

Les vents sont forts! la chair est brève! ... Aux crêtes lisérées d'ors et de feux dans les lancinations du soir, aux crêtes ciliées d'aiguilles lumineuses, parmi d'étranges radiolaires,

N'est-ce toi-même tressaillant dans de plus pures espèces, avec cela d'immense et de puéril qui nous ouvre sa chance? ... Je veille. J'aviserai. Et il y a là encore matière à suspicion ...

6

And a whole country, overtaken before evening by the sacred fever of the ardent sect, advances in time toward the encounter of the reddening moons. And the Year that passes by on the peaks . . . ah! may its aim and its moving power be revealed to me! I hear them, as they grow, bones of a new age of the earth.

Memories, memories! may it happen to you as it happens to the dreams of the Dreamer issuing forth from nocturnal waters. And may the days we have lived through be, for us, like faces without names. Let man pasture his shadow on the slopes of great transhumance! . . .

The winds are strong! flesh is brief! . . . On the ridges edged with gold and fire in the spasms of evening, on the ridges ciliated with luminous needles, amid strange radiolaria,

Is it not you, yourself, in purer species, who quivers there, with all that is immense and puerile in the unfolding of our chances? . . . I watch. I will consider. And still there

Qu'on m'enseigne le ton d'une modulation nouvelle!

Et vous pouvez me dire: Où avez-vous pris cela? — Textes reçus en langage clair! versions données sur deux versants! . . . Toi-même stèle et pierre d'angle! . . . Et pour des fourvoiements nouveaux, je t'appelle en litige sur ta chaise dièdre,

O Poète, ô bilingue, entre toutes choses bisaiguës, et toi-même litige entre toutes choses litigieuses — homme assailli du dieu! homme parlant dans l'équivoque! . . . ah! comme un homme fourvoyé dans une mêlée d'ailes et de ronces, parmi des noces de busaigles!

Et toi, Soleil d'en bas, férocité de l'Être sans paupière, tiens ton œil de puma dans tout ce pain de pierrerie! . . . Hasardeuse l'entreprise où j'ai mené la course de ce chant . . . Et il y a là encore matière à suspicion. Mais le Vent, ah! le Vent! sa force est sans dessein et d'elle-même éprise.

Nous passons, et nos ombres . . . De grandes œuvres, feuille à feuille, de grandes œuvres en silence se composent aux gîtes du futur, dans les blancheurs d'aveugles couvaisons. Là nous prenons nos écritures nouvelles, aux feuilles jointes des grands schistes . . .

Et au delà sont les craies vives de vigie, les hautes tranches à grands cris abominant la nuit; et les figurations en marche sur les cimes, parmi la cécité des choses; et les pierres blanches immobiles face aux haches ardentes.

is cause for suspicion there . . . Let them teach me the tone
of a new modulation!

And you may say to me: Where did you learn that? —
Texts received in clear language! versions given on two sides!
. . . You, yourself, a stele and a cornerstone! . . . And for
new flights of thought, I summon you in litigation on your
dihedral chair,

O Poet, O bilingual one, amidst all things two-pronged,
and you, yourself, litigation amid all things litigious — man
assailed by the god! man speaking in the equivocal! . . . ah!
like a man entangled in a mêlée of wings and brambles,
among nuptials of harrier-eagles!

And you, Sun from below, ferocity of the Being with no
eyelids, hold your puma's eye in all this conglomerate of pre-
cious stones! . . . Hazardous is the enterprise on which I
have led the course of this song . . . And still there is cause
for suspicion. But the Wind, ah! the Wind! its power is without design and of itself enamoured.

We pass on, and our shadows . . . Great works, page by
page, great works are silently composed in the breeding-
places of the future, in the whiteness of blind broodings.
From there we take our new writings, from the layered pages
of great schists . . .

And beyond are the living chalks of look-out rocks, the
steep escarpments, with great cries, holding the night in ab-
horrence; and the forms marching on the peaks, amid the
blindness of things; and the white stones immobile in the
face of the white-hot axes.

Et les terres rouges prophétisent sur la coutellerie du pauvre.
Et les textes sont donnés sur la terre sigillée. Et cela est bien vrai,
j'en atteste le vrai. Et vous pouvez me dire: Où avez-vous vu cela?
. . . Plus d'un masque s'accroît au front des hauts calcaires
éblouis de présence.

And the red lands are prophesying on their beggar's bed of stone knives. And on the sigillated soil, the texts are revealed. And that is quite true, I call truth to witness. And you may say to me: Where did you see that? . . . More than one mask is forming on the brows of the tall limestones, dazzled with presence.

III

1

DES HOMMES *dans le temps ont eu cette façon de tenir face au vent:*

Chercheurs de routes et d'eaux libres, forceurs de pistes en Ouest, par les cañons et par les gorges et les raillères chargées d'ans — Commentateurs de chartes et de bulles, Capitaines de corvée et Légats d'aventure, qui négociaient au prix du fer les hautes passes insoumises, et ces gisements au loin de mers nouvelles en plein ciel, dans leur mortier de pierre pâle, comme une lactation en songe de grandes euphorbes sous la meule . . .

Et par là-bas s'en furent, au bruit d'élytres de la terre, les grands Itinérants du songe et de l'action: les Interlocuteurs avides de lointains et les Dénonciateurs d'abîmes mugissants, grands Interpellateurs de cimes en exil et disputeurs de chances aux confins, qui sur les plaines bleuissantes menaient un œil longtemps froncé par l'anneau des lunettes.

Et la terre oscillait sur les hauts plans du large, comme aux bassins de cuivre d'invisibles balances,

92

1

Men, in Time, have had this way of confronting the wind:

Seekers after routes and open waters, blazers of trails westward, by canyons and gorges and inclines laden with years—Commentators of charters and bulls, Captains of corvée and Legates of adventure, negotiating the high unsubjugated passes at the point of steel, and those distant layers of new seas high in the sky, high in their mortar of pale stone, as, in a dream, a lactation of great euphorbia under the grindstone . . .

And out there, to a sound as of beetle-shells trampled on the ground, went the great Itinerants of action and dream: the Interlocutors avid for far-off lands and the Denouncers of roaring abysses, great Interpellators of exiled peaks and disputors of chances on the borders, who cast across the blueing plains an eye long contracted by the circle of the glass.

And the earth oscillated on the high planes of the open, as though on the brass pans of invisible scales,

Et c'était de toutes parts, dans une effloraison terrestre,
toute une fraîcheur nouvelle de Grandes Indes exondées, et
comme un souffle de promesses à l'ouverture de grands Legs —
dotations à fonds perdu et fondations de sinécures, institution
de majorats pour filles nobles de grands poètes vieillissants . . .

Les Cavaliers sous le morion, greffés à leur monture, mon-
taient, au grincement du cuir, parmi les ronces d'autre race
. . . La barbe sur l'épaule et l'arme de profil, ils s'arrêtaient
parfois à mesurer, sur les gradins de pierre, la haute crue de
terres en plein ciel succédant derrière eux à la montée des eaux.
Ou bien, la tête haute, entourés de moraines, ils éprouvaient de
l'œil et de la voix l'impasse silencieuse, à fond de cirque, comme
aux visions grandioses du dormeur l'immense mur de pierre,
à fond d'abîme, scellé d'un mufle de stupeur et d'un anneau de
bronze noir.

Et les mers étaient vastes, aux degrés de leur songe, dont ils
perdaient un jour mémoire sur les plus hautes marches.

Et d'avoir trop longtemps, aux côtes basses, dans les criques,
écouté sous la pluie l'ennui trouer la vase des vasières, et d'avoir
trop longtemps, au lit des fleuves équivoques, poussé comme
blasphèmes leurs coques lourdes d'algues, et leurs montures, de
sangsues, ils émergeaient, la lèvre haute au croc du rire, dans les
trouées de fièvre du ciel bleu, fouetté d'alcools et de grand vent.

Et comme les pluies étaient légères sur ces pentes, moins
promptes à prendre le hâle y furent les armes offertes au spectre
de la terre: une lignée de lances pures et d'épées chastes y tinrent

And from all sides, in an earthly efflorescence, there came a whole new freshness of great Indies newly risen from the sea, like a breath of promise at the disclosure of great Legacies—life-endowments and foundations of sinecures, institution of majorats for high-born daughters of great aging poets . . .

The Horsemen under their morions, grafted to their mounts, climbed, to the creaking of leather, amongst brambles of another race . . . With their beards over their shoulders and their weapons in profile, from time to time they halted to measure, on the stone tiers, the high rising of lands into the sky succeeding behind them to the rising of the waters. Or else, head high, surrounded by moraines, they tested with eye and voice the silent rampart at the closing of the cirque, as in the sleeper's grandiose visions, at the bottom of the abyss, the huge stone wall sealed with an awesome mask and a black bronze ring.

And to the gradients of their dream the seas were vast, memory of which was lost, one day, on the highest steps.

And because for too long, on the low shores of the creeks, they had listened under the rain to tedium burrowing in the silt of the mud-banks, and because for too long, in the bed of equivocal rivers, they had thrust forward like blasphemies their hulls heavy with algae and their mounts heavy with leeches, they emerged, their lips high on the hook of laughter, into the fevered spaces of a sky blue and flogged by alcohols, by great wind.

And as the rains were light on these slopes, the weapons presented to the spectre of the earth were less prone to tarnish there; a lineage of pure lances and chaste swords held

95

veillée d'âmes à l'insu de leurs maîtres . . . Mais la chair
étrangère hantait d'un goût d'oronge et d'amanite ces hommes
nés, aux Chrétientés, de chair plus blonde que chair d'alberges
ou de pavies . . . Fils de la femme en toutes chairs! ô pas de
l'homme, d'âge en âge, sur toutes menthes de la terre! . . . Où
furent ces hommes sous le fer, où furent ces hommes dans le vent,
montant, au pas des bêtes, avec le spectre de la terre,

Les grands itinéraires encore s'illuminent au revers de
l'esprit, comme traces de l'ongle au vif des plats d'argent.

96

a vigil of souls unknown to their masters . . . But the foreign flesh haunted those men with a taste of agaric and amanita, men born, in Christendom, of flesh more blond than the flesh of the wild peach or the wild apricot . . . Sons of woman in every flesh! O footsteps of man, from age to age, on all the mints of the earth! . . . Where went those men under steel, where went those men in the wind, climbing at the pace of their beasts with the spectre of the earth,

The great itineraries flash again on the reverse side of the mind, like scratches of a claw on the quick of silver plates.

2

. . . Des hommes encore, dans le vent, ont eu cette façon de vivre et de gravir.

Des hommes de fortune menant, en pays neuf, leurs yeux fertiles comme des fleuves.

Mais leur enquête ne fut que de richesses et de titres . . . Les buses sur les cols, prises aux courbes de leur vol, élargissaient le cirque et la mesure de l'avoir humain. Et le loisir encore, riche d'ombres, étendait ses audiences au bord des campements. La nuit des sources hébergeait l'argenterie des Vice-Rois . . .

Et puis vinrent les hommes d'échange et de négoce. Les hommes de grand parcours gantés de buffle pour l'abus. Et tous les hommes de justice, assembleurs de police et leveurs de milices. Les Gouverneurs en violet prune avec leurs filles de chair rousse au parfum de furet.

Et puis les gens de Papauté en quête de grands Vicariats; les Chapelains en selle et qui rêvaient, le soir venu, de beaux diocèses jaune paille aux hémicycles de pierre rose:

2

. . . M<small>EN</small> again have found, in the wind, this way of living and of climbing.

Men of fortune, bringing with them, into new country, eyes as fertile as rivers.

But their quest was for no more than gold and grants . . . Buzzards on the passes, caught at the curve of their soaring, enlarged the circle and measure of human possession. And leisure, still, rich in shadows, held audiences on the edge of the encampments. The night of the springs harboured the silver plate of Viceroys . . .

And then came the men of barter and trade. Men of wide range gloved with buff leather for abuse. And all the men of justice, assemblers of police and leviers of militia. The Governors in plum purple and their russet-fleshed daughters smelling of ferrets.

And then the people of the Papacy in search of great Vicarates; the Chaplains in the saddle and dreaming, at evening's fall, of fine straw-yellow dioceses with hemicycles of pink stone:

«*Çà! nous rêvions, parmi ces dieux camus! Qu'un bref d'Église nous ordonne tout ce chaos de pierre mâle, comme chantier de grandes orgues à reprendre! et le vent des Sierras n'empruntera plus aux lèvres des cavernes, pour d'inquiétants grimoires, ces nuées d'oiseaux-rats qu'on voit flotter avant la nuit comme mémoires d'alchimistes . . .* »

S'en vinrent aussi les grands Réformateurs — souliers carrés et talons bas, chapeau sans boucle ni satin, et la cape de pli droit aux escaliers du port:

«*Qu'on nous ménage, sur deux mers, les buies nouvelles pour nos fils, et, pour nos filles de front droit aux tresses nouées contre le mal, des villes claires aux rues droites ouvertes au pas du juste . . .* »

Et après eux s'en vinrent les grands Protestataires — objecteurs et ligueurs, dissidents et rebelles, doctrinaires de toute aile et de toute séquelle; précurseurs, extrémistes et censeurs — gens de péril et gens d'exil, et tous bannis du songe des humains sur les chemins de la plus vaste mer: les évadés des grands séismes, les oubliés des grands naufrages et les transfuges du bonheur, laissant aux portes du légiste, comme un paquet de hardes, le statut de leurs biens, et sous leurs noms d'emprunt errant avec douceur dans les grands Titres de l'Absence . . .

Et avec eux aussi les hommes de lubie — sectateurs, Adamites, mesmériens et spirites, Ophiolâtres et sourciers . . . Et quelques hommes encore sans dessein — de ceux-là qui conversent avec l'écureuil gris et la grenouille d'arbre, avec la bête sans licol et l'arbre sans usage:

100

"Dreaming, indeed, were we, amongst these flat-nosed gods: Let a brief from the Church bring order to all this chaos of male stone, like an open yard for the assembling of great organs! and the wind of the Sierras will no longer borrow from the caverns' lips, for disquieting scrawls, those clouds of ratbirds one sees floating before nightfall like alchemists' formulae . . ."

Came also the great Reformers—square shoes and low heels, hat without buckle or satin, and the cape falling in straight folds to the stairways of the port:

"Let new bays, on two seas, be provided for our sons, and for our daughters, with their straight foreheads and their tresses knotted against evil, bright towns with straight streets open to the step of the upright man . . ."

And after them came the great Protesters—objectors and leaguers, dissenters and rebels, doctrinaires of every wing and ring; forerunners, extremists, and censurers—men of peril and men of exile, and all those who were banished from the dream of other humans to the paths of the vaster sea; those who escaped from great seisms, those who were overlooked in great shipwrecks, and the deserters from happiness who left, at the legist's doors, like a parcel of rags, the statute of their possessions, and wandered at peace under assumed names in the great Titles of Absence . . .

And with them also, the men of vagaries—votaries, Adamites, mesmerists and spiritists, Ophiolatrists and water-diviners . . . And some men also with no purpose—of those who converse with the grey squirrel and the tree-frog, the animal without halter and the tree without use:

101

«Ah! qu'on nous laisse, négligeables, à notre peu de hâte. Et charge à d'autres, ô servants, d'agiter le futur dans ses cosses de fer . . .»

Enfin les hommes de science—physiciens, pétrographes et chimistes: flaireurs de houilles et de naphtes, grands scrutateurs des rides de la terre et déchiffreurs de signes en bas âge; lecteurs de purs cartouches dans les tambours de pierre, et, plus qu'aux placers vides où gît l'écaille d'un beau songe, dans les graphites et dans l'urane cherchant le minuit d'or où secouer la torche du pirate, comme les détrousseurs de Rois aux chambres basses du Pharaon.

. . . Et voici d'un autre âge, ô Confesseurs terrestres—Et c'est un temps d'étrange confusion, lorsque les grands aventuriers de l'âme sollicitent en vain le pas sur les puissances de matière. Et voici bien d'un autre schisme, ô dissidents! . . .

«Car notre quête n'est plus de cuivres ni d'or vierge, n'est plus de houilles ni de naphtes, mais comme aux bouges de la vie le germe même sous sa crosse, et comme aux antres du Voyant le timbre même sous l'éclair, nous cherchons, dans l'amande et l'ovule et le noyau d'espèces nouvelles, au foyer de la force l'étincelle même de son cri! . . .»

Et l'ausculteur du Prince défaille sur son ouïe—comme le visionnaire au seuil de sa vision; comme aux galeries du Monstre le chasseur; comme l'Orientaliste sur sa page de laque noire, aux clés magiques du colophon . . .

Soleil à naître! cri du Roi! . . . Capitaine et Régent aux commanderies des Marches!

Tiens bien ta bête frémissante contre la première ruée bar-

"Ah, may they leave us, negligible ones, to our lack of haste. And let others, O men who serve, be charged with shaking the future in its iron pods . . ."

Lastly, the men of science—physicists, petrographers and chemists: detectors of coal and naphtha, great scrutinizers of the earth's wrinkles and decipherers of primal signs; readers of pure cartouches in the drums of stone, and, rather than in false placers where lie the scales of a beautiful dream, searching in graphites and uranium for the golden midnight wherein to brandish the pirate's torch, like the riflers of Kings in the low chambers of the Pharaoh.

. . . And here is another age, O Confessors of the earth —And it is a time of strange confusion, when the great adventurers of the soul apply in vain for precedence over the Powers of matter. And here in truth is another schism, O dissenters! . . .

"For our quest is no longer for copper or virgin gold, no longer for coal or naphtha, but like the germ itself beneath its arch in the apses of life, and like the blast itself beneath the lightning in the caverns of the Seer, we seek, in the kernel and the ovule and the core of new species, at the hearth of the force, the very spark of its cry! . . .

And the auscultator of the Prince falls in a faint at what he hears—like the visionary on the threshold of his vision, like the hunter in the galleries of the Monster; like the Orientalist on his black lacquer page, at the magic keys of the colophon . . .

Sun to be born! cry of the King! . . . Captain and Regent at the commanderies of the Marches!

Hold tight your trembling beast against the first bar-

bare . . . Je serai là des tout premiers pour l'irruption du dieu nouveau . . .

Aux porcheries du soir vont s'élancer les torches d'un singulier destin!

barous onrush . . . I shall be there among the very first for the irruption of the new god . . .

From the pigsties of night, the torches of a singular destiny will flare!

E<small>T</small> D<small>ÉJÀ</small> *d'autres forces s'irritent sous nos pas, au pur solstice de la pierre: dans le métal et dans les sels nouvellement nommés, dans la substance émerveillée où vont les chiffres défrayant une ardente chronique.*

«Je t'insulte, matière, illuminée d'onagres et de vierges: en toutes fosses de splendeur, en toutes châsses de ténèbre où le silence tend ses pièges.

Ce sont noces d'hiver au feu des glaives de l'esprit, au feu des grandes roses de diamant noir, comme lances de gel au foyer des lentilles, comme au tranchant du verre décharge d'aubes nouvelles:

Crépitant au croisement de toutes répliques lumineuses, et brûlant tous alliages dans l'indicible bleu lavande d'une essence future!»

Chevaleries errantes par le monde à nos confins de pierre, ô déités en marche sous le heaume et le masque de fer, en quelles lices tenez-vous vos singuliers exploits?

Dans les grands tomes du Basalte et les Capitulaires de l'An noir, cherchez, manants, qui légifère!

3

And already, under our footsteps, other forces are rebelling at the pure solstice of the stone; in metal and in salts newly named, in enraptured substances where ciphers move, illustrating an ardent chronicle.

"I insult you, matter, blazing with wild asses and virgins; in all chasms of splendour, in all shrines of gloom where silence sets its snares.

These are winter nuptials in the fire of the spirit's swords, in the fire of great black-diamond roses, like spears of frost at the focus of the lens, like a discharge of new dawns on the edge of glass:

Flashing at the crossing of all luminous replies, and consuming all alloys in the ineffable lavender blue of some future essence!"

Chivalries wandering the world on our stone borders, O deities on the march under helm and iron mask, in what lists do you perform your singular exploits?

In the great tomes of Basalt and the Capitularies of the black Year, seek out, O churls, who legislates!

Nous y trouvons nos tables et calculs pour des égarements nouveaux. Et c'est Midi déjà sur l'échiquier des sciences, au pur dédale de l'erreur illuminé comme un sanctuaire.

(Si loin, si loin sur l'autre rive, si loin déjà, dans vos récits de guerre, les grands taillis de force où montait l'astre de nos songes . . .)

Et le Monstre qui rôde au corral de sa gloire, l'Œil magnétique en chasse parmi d'imprévisibles angles, menant un silencieux tonnerre dans la mémoire brisée des quartz,

Au pas précipité du drame tire plus loin le pas de l'homme, pris au lancer de son propre lasso:

Homme à l'ampoule, homme à l'antenne, homme chargé des chaînes du savoir — crêté de foudres et d'aigrettes sous le délice de l'éclair, et lui-même tout éclair dans sa fulguration.

Que son visage s'envenime au pire scandale de l'histoire! . . . Et c'est bien autre exil, ô fêtes à venir! dans l'élargissement de la pâque publique et la tristesse des grands thèmes de laïcité.

. . . L'oreille aux sources d'un seul être, l'oreille aux sistres d'un seul âge, écoute, radieux, la grande nuit de pierre lacérée de prodiges. L'insulte et la menace en toutes langues nous répondent . . . «Tu te révéleras! chiffre nouveau: dans les diagrammes de la pierre et les indices de l'atome;

Aux grandes tables interdites où plus fugaces vont les signes; dans les miroirs lointains où glisse la face de l'Errant — face d'hélianthe qui ne cille;

108

We discover therein our tables and calculations for new aberrations. And already it is Noon on the chessboard of the sciences, in the pure maze of error illuminated like a sanctuary.

(So far away, so far on the other shore, already so far, in your tales of war, the great forests of force whence the star of our dreams arose . . .)

And the Monster prowling the corral of his glory, the magnetic Eye hunting amid unpredictable angles, rolling a silent thunder into the broken memory of quartzes,

With the hasty stride of the drama, draws ever further the stride of man, caught in the throw of his own lasso:

Man with the bulb, man with the antenna, man charged with the chains of knowledge — crested with thunderbolts and aigrettes under the delight of the lightning, and he himself, in his fulguration, all lightning.

May his face inflame at the worst scandal in history! . . . And it is altogether another exile, O festivals to come! in the enlarging of the public Easter and the sadness of the great secular themes.

With your ear at the sources of the all-being, with your ear at the sistra of the all-age, listen, radiant one, to the great night of stone lacerated with prodigies. Insult and menace answer us in all languages . . . "You shall reveal yourself, new cipher: in the diagrams of stone and the atom's indices;

At the great forbidden tables where the signs more swiftly pass: in the distant mirrors where the face of the Wanderer passes by — unblinking face of helianthus;

Aux longues rampes de fureur où courent d'autres attelages, sous les rafales de douceur et la promesse haut tenue d'un infine loisir . . . »

*

—*Et l'Exterminateur au gîte de sa veille, dans les austérités du songe et de la pierre, l'Être muré dans sa prudence au nœud des forces inédites, mûrissant en ses causses un extraordinaire génie de violence,*

Contemple, face à face, le sceau de sa puissance, comme un grand souci d'or aux mains de l'Officiant.

110

Over the long ramps of wrath where other chariots race, under squalls of sweetness and the promise of infinite leisure, held high . . ."

*

And, the Exterminator, from the site of his vigil, in the austerities of dream and stone, Supreme Being immured in his prudence at the hub of forces yet untried, maturing in his quarries an extraordinary genius for violence,

Contemplates the seal of his power, face to face, like a great golden marigold in the hands of the Officiator.

4

. . . M<small>AIS</small> *c'est de l'homme qu'il s'agit! Et de l'homme lui-même quand donc sera-t-il question? — Quelqu'un au monde élèvera-t-il la voix?*

Car c'est de l'homme qu'il s'agit, dans sa présence humaine; et d'un agrandissement de l'œil aux plus hautes mers intérieures.

Se hâter! se hâter! témoignage pour l'homme!

*

. . . *Et le Poète lui-même sort de ses chambres millénaires.*
Avec la guêpe terrière et l'Hôte occulte de ses nuits,
Avec son peuple de servants, avec son peuple de suivants:
Le Puisatier et l'Astrologue, le Bûcheron et le Saunier,
Le Savetier, le Financier, les Animaux malades de la peste,

4

... But man is in question! So when will it be a question of man himself? — Will someone in the world raise his voice?

For man is in question, in his human presence; and the eye's enlargement over the loftiest inner seas.

Make haste! make haste! testimony for man!

*

... And the Poet himself comes out of his millennial rooms.

With the digger wasp and the occult Guest of his nights,

With his tribe of attendants, with his tribe of followers:

The Welldigger and the Astrologer, the Woodcutter and the Saltmaker,

The Cobbler, the Financier, "the Animals ill with plague,"

L'Alouette et ses petits et le Maître du champ, et le Lion
amoureux et le Singe montreur de lanterne magique.

. . . Avec tous hommes de patience, avec tous hommes de
sourire,

Les éleveurs de bêtes de grand fond et les navigateurs de
nappes souterraines,

Les assembleurs d'images dans les grottes et les sculpteurs
de vulves à fond de cryptes,

Les grands illuminés du sel et de la houille, ivres d'attente
et d'aube dans les mines; et les joueurs d'accordéon dans les
chaufferies et dans les soutes;

Les enchanteurs de bouges prophétiques, et les meneurs
secrets de foules à venir, les signataires en chambre de chartes
révolutionnaires,

Et les animateurs insoupçonnés de la jeunesse, instigateurs
d'écrits nouveaux et nourriciers au loin de visions stimulantes.

. . . Avec tous hommes de douceur, avec tous hommes de
sourire sur les chemins de la tristesse,

Les tatoueurs de Reines en exil et les berceurs de singes
moribonds dans les bas-fonds de grands hôtels,

Les radiologues casqués de plomb au bord des lits de fi-
ançailles,

Et les pêcheurs d'éponges en eaux vertes, frôleurs de marbres
filles et de bronzes latins,

Les raconteurs d'histoires en forêt parmi leur audience de
chanterelles, de bolets, les siffloteurs de «blues» dans les usines
secrètes de guerre et les laboratoires,

Et le magasinier des baraquements polaires, en chaussons

114

"The Lark and its young and the Master of the field,"
and "the Enamoured Lion" and "the Monkey, a magic-
lantern showman."

. . . With all men of patience, with all men of smiles,
Breeders of deep-sea beasts and navigators of sheets of
underground waters,
Assemblers of images in the grottoes and sculptors of vul-
vas at the bottom of crypts,
Great visionaries of salt and coal, drunk with expectation and dawn down in the mines; and accordion-players in
the stackholds and the bunkers;
Enchanters in dens of prophecy and secret leaders of
crowds to come, signers in garrets of revolutionary charters,
And unsuspected animators of youth, instigators of new
writings and fosterers from afar of stimulating visions.

. . . With all men of gentleness, with all men who smile
on the paths of sorrow,
Tattooers of exiled Queens and cradlers of moribund
monkeys in the basements of great hotels,
Radiologists helmeted with lead on the edge of betrothal
beds,
And sponge-fishermen in green waters, brushing by marble girls and latin bronzes,
The story-tellers in the forest amongst their audience of
fungi, chanterelle and boletus, "blues" whistlers in secret
war-plants and laboratories,
And the warehouse-keeper of polar barracks, in beaver

115

de castor, gardien de lampes d'hivernage et lecteur de gazettes au soleil de minuit.

. . . Avec tous hommes de douceur, avec tous hommes de patience aux chantiers de l'erreur,

Les ingénieurs en balistique, escamoteurs sous roche de basiliques à coupoles,

Les manipulateurs de fiches et manettes aux belles tables de marbre blanc, les vérificateurs de poudres et d'artifices et correcteurs de chartes d'aviation,

Le Mathématicien en quête d'une issue au bout de ses galeries de glaces, et l'Algébriste au nœud de ses chevaux de frise; les redresseurs de torts célestes, les opticiens en cave et philosophes polisseurs de verres,

Tous hommes d'abîme et de grand large, et les aveugles de grandes orgues, et les pilotes de grand'erre, les grands Ascètes épineux dans leur bogue de lumière,

Et le Contemplateur nocturne, à bout de fil, comme l'épeire fasciée.

. . . Avec son peuple de servants, avec son peuple de suivants, et tout son train de hardes dans le vent, ô sourire, ô douceur,

Le Poète lui-même à la coupée du Siècle!

— Accueil sur la chaussée des hommes, et le vent à cent lieues courbant l'herbe nouvelle.

*

slippers, guardian of winter lamps and reader of gazettes under the midnight sun.

. . . With all men of gentleness, with all men of patience in the workshops of error,

Ballistic engineers, with their basilicas of gun-turrets capable of sinking into rock,

Manipulators of switches and keys at the beautiful white marble tables, verifiers of powders and flares and correctors of aviation charts,

The Mathematician in search of an issue at the end of his mirrored galleries, and the Algebraist at the knot of his chevaux-de-frise; the redressers of celestial wrongs, opticians in cellars and philosophers, polishers of lenses,

All men of abyss and open spaces, and blind players of grand organs, and pilots of high spheres, great Ascetics thorny in their husk of light,

And the nocturnal Contemplator, at an end of a thread, like the fasciated spider.

. . . With his tribe of attendants, with his tribe of followers, and all his train of rags in the wind, O smile, O gentleness,

The Poet himself at the gangway of the Century:

—Welcome on the causeway of men, and the wind bending the new grass a hundred leagues away.

*

Car c'est de l'homme qu'il s'agit, et de son renouement.

Quelqu'un au monde n'élèvera-t-il la voix? Témoignage pour l'homme . . .

Que le Poète se fasse entendre, et qu'il dirige le jugement!

For man is in question, and his reintegration.

Will no one in the world raise his voice? Testimony for man . . .

Let the Poet speak, and let him guide the judgment!

5

«Je t'ignore, *litige. Et mon avis est que l'on vive!*

Avec la torche dans le vent, avec la flamme dans le vent,

Et que tous hommes en nous si bien s'y mêlent et se consument,

Qu'à telle torche grandissante s'allume en nous plus de clarté . . .

Irritable la chair où le prurit de l'âme nous tient encore rebelles!

Et c'est un temps de haute fortune, lorsque les grands aventuriers de l'âme

Sollicitent le pas sur la chaussée des hommes: interrogeant la terre entière

Sur son aire, pour connaître le sens de ce très grand désordre —interrogeant

Le lit, les eaux du ciel et les relais du fleuve d'ombre sur la terre—

Peut-être même s'irritant de n'avoir pas réponse . . .

120

5

"LITIGATION, I ignore you. And my opinion is that we should live!

With the torch in the wind, with the flame in the wind,

And that all men amongst us should be so mingled and consumed therein,

That this growing torch may kindle within us a greater clarity.

Irritable the flesh where irritation of the soul keeps us rebellious!

And it is a time of high fortune, when the great adventurers of the soul

Apply for precedence on the causeway of men: interrogating the whole of the earth

Over its area, to know the meaning of this very great disorder—interrogating

The bed, the waters of the sky and the tide-marks of the river of shadow over the earth—

Perhaps even growing angry at finding no answer . . .

Et d'embrasser un tel accomplissement des choses hors de tes rives, rectitude,

Qu'ils n'aillent point dire: tristesse . . . , s'y plaisant— dire: tristesse . . . , s'y logeant, comme aux ruelles de l'amour.

Interdiction d'en vivre! Interdiction faite au poète, faite aux fileuses de mémoire.

Plutôt l'aiguille d'or au grésillement de la rétine!

Brouille-toi, vision, où s'entêtait l'homme de raison . . .

Le Chasseur en montagne cousait d'épines sauvages les paupières de l'appelant.

Nos Vierges henniront aux portes du Sophiste.

Et comme un homme frappé d'aphasie en cours de voyage, du fait d'un grand orage, est par la foudre même mis sur la voie des songes véridiques,

Je te chercherai, sourire, qui nous conduise un soir de Mai mieux que l'enfance irréfutable.

Ou comme l'Initié, aux fêtes closes de la mi-nuit, qui entend tout à coup céder le haut vantail de cèdre à la ruée du vent, et, toutes torches renversées, dans la dispersion des tables rituelles s'aventurent ses pas—et le filet du dieu d'en bas s'est abattu sur lui, et de toutes parts l'aile multiple de l'erreur, s'affolant comme un sphex, lui démêle mieux sa voie—

Je te licencierai, logique, où s'estropiaient nos bêtes à l'entrave.

Aux porches où nous levons la torche rougeoyante, aux antres où plonge notre vue, comme le bras nu des femmes,

122

And when they embrace such a fulfillment of things beyond your borders, O rectitude,

Let them not say: Sadness . . . , revelling in it—say: Sadness . . . , lingering in it, as though in the alcoves of love.

Injunction against living on it! Injunction made to the poet, made to the spinners of memory.

Rather the golden needle to the shrinking retina!

Blur yourself, clear eye, in which the man of reason placed his trust . . .

With wild thorns the Hunter on the mountainside used to sew up the eyelids of the decoy.

Our Virgins will whinny at the doors of the Sophist.

And as a man, in the course of a voyage, stricken with aphasia by virtue of a great storm, is by the very lightning put in the path of veracious dreams,

I shall search for you, smile, to lead us, one evening in May, more certainly than irrefutable childhood.

Or as the Initiate, at the closed rites of the half night, who hears of a sudden the tall cedar portal giving way to the onslaught of the wind, and, all torches overturned, his footsteps venture amongst the scattered ritual tables—and the net of the nether god has fallen upon him, and from all sides the multiple wing of error, whirling like a sphex, more surely shows him his way—

I shall liquidate you, logic, on whose shackle our beasts disabled themselves.

On the porches where we raise the reddening torch, in the caves wherein our sight goes plunging down, like women's

123

jusqu'à l'aisselle, dans les vaisseaux de grain d'offrande et la fraîcheur sacrée des jarres,

C'est une promesse semée d'yeux comme il n'en fut aux hommes jamais faite,

Et la maturation, soudain, d'un autre monde au plein midi de notre nuit . . .

Tout l'or en fèves de vos Banques, aux celliers de l'État, n'achèterait point l'usage d'un tel fonds.

Au fronton de nos veilles soient vingt figures nouvelles arrachées à l'ennui, comme Vierges enchâssées au bourbier des falaises!

Contribution aussi de l'autre rive! Et révérence au Soleil noir d'en bas!

Confiance à tout cet affleurement de monstres et d'astres sans lignage, de Princes et d'Hôtes sous le pschent, mêlant leur faune irréprochable à notre hégire d'Infidèles . . .

Et toi, prends la conduite de la course, œil magnifique de nos veilles! pupille ouverte sur l'abîme

Comme au navigateur nocturne penché sur l'habitacle la fleur de feu dans son bol d'or, et, sous la bulle errante de l'ampoule, la noire passiflore en croix sur la rose des vents.»

124

arms, bare to the arm-pits, in vessels of offertory grain and the sacred freshness of the jars,

It is a promise, sown with eyes, such as never was made to man,

And the sudden maturation of another world in the high noon of our night . . .

All the golden beans of your Banks, in the vaults of the State, would not purchase the use of such a fund.

May twenty new figures appear on the façade of our vigils, wrested from tedium, like Virgins enchased in the clay of the cliffs!

Contribution also from the other shore! And reverence to the black Sun from below!

Confidence in all this outcropping of monsters and of stars without lineage, of Princes and of Visitors beneath the pschent, mingling their irreproachable fauna with our hegira of Infidels . . .

And you, take over the steering of the course, magnificent eye of our vigils! pupil open over the abyss

Like the flower of fire in its golden bowl to the nocturnal navigator bending over his binnacle, and, under the ampulla's errant bubble, the black passion-flower crossed with the rose of the winds."

6

Telle est l'instance extrême où le Poète a témoigné.

Et en ce point extrême de l'attente, que nul ne songe à regagner les chambres.

«Enchantement du jour à sa naissance . . . Le vin nouveau n'est pas plus vrai, le lin nouveau n'est pas plus frais . . .

Quel est ce goût d'airelle, sur ma lèvre d'étranger, qui m'est chose nouvelle et m'est chose étrangère? . . .

A moins qu'il ne se hâte en perdra trace mon poème . . . Et vous aviez si peu de temps pour naître à cet instant . . .»

(Ainsi quand l'Officiant s'avance pour les cérémonies de l'aube, guidé de marche en marche et assisté de toutes parts contre le doute — la tête glabre et les mains nues et jusqu'à l'ongle sans défaut —, c'est un très prompt message qu'émet aux premiers feux du jour la feuille aromatique de son être.)

Et le Poète aussi est avec nous, sur la chaussée des hommes de son temps.

126

6

Such is the extreme instance in which the Poet has testified.

And at this extreme point of expectation, let no one dream of regaining the houses.

"Enchantment of the day at its beginning . . . New wine is not more true, new linen not more fresh . . .

What is this taste of bilberry, on my stranger's lips, that is new to me and is strange to me? . . .

Unless I make haste, my poem will lose trace of it . . . And you had so little time to be born to this instant . . ."

(Thus, when the Celebrant advances for the dawn ceremonies, guided from step to step and aided on every side against doubt—with smooth head and bare hands and flawless to the finger-nails—it is a very prompt message that the aromatic leaf of his being puts forth at the first fires of day.)

And the Poet too is with us, on the causeway of men of his time.

Allant le train de notre temps, allant le train de ce grand vent.

Son occupation parmi nous: mise en clair des messages. Et la réponse en lui donnée par illumination du cœur.

Non point l'écrit, mais la chose même. Prise en son vif et dans son tout.

Conservation non des copies, mais des originaux. Et l'écriture du poète suit le procès-verbal.

(Et ne l'ai-je pas dit? les écritures aussi évolueront. — Lieu du propos: toutes grèves de ce monde.)

«Tu te révéleras, chiffre perdu! . . . Que trop d'attente n'aille énerver

L'usage de notre ouïe! nulle impureté souiller le seuil de la vision! . . .»

Et le Poète encore est avec nous, parmi les hommes de son temps, habité de son mal . . .

Comme celui qui a dormi dans le lit d'une stigmatisée, et il en est tout entaché,

Comme celui qui a marché dans une libation renversée, et il en est comme souillé,

Homme infesté du songe, homme gagné par l'infection divine,

Non point de ceux qui cherchent l'ébriété dans les vapeurs du chanvre, comme un Scythe,

Ni l'intoxication de quelque plante solanée — belladone ou jusquiame,

De ceux qui prisent la graine ronde d'Ologhi mangée par l'homme d'Amazonie,

Yaghé, liane du pauvre, qui fait surgir l'envers des choses —ou la plante Pî-lu,

128

Keeping pace with our time, keeping pace with this great wind.

His occupation among us: clarifying of messages. And the answer given within him by the heart's illumination.

Not the writing, but the thing itself. Seized at the quick and in its entirety.

Conservation, not of copies, but of the originals. And the poet's writing follows the record.

(And have I not said so? the writings also will evolve.— Whereabouts of the statement: all shores of this world.)

"You shall reveal yourself, lost cipher! . . . Let not too much waiting weaken

The use of our hearing! no impurity sully the threshold of the vision! . . ."

And the Poet is still with us, amongst the men of his time, inhabited by his malady . . .

Like the one who slept in the bed of a stigmatic woman, and he is thereby thoroughly tainted,

Like the one who stepped in an overturned libation, and he is as though soiled thereby,

Man infested with dream, man overtaken by the divine infection,

No, not of those who seek inebriation in the vapours of hemp, like a Scythian,

Or the intoxication of some solanal plant—belladonna or henbane,

Nor of those who prize the round seed of Ologhi eaten by man in Amazonia,

Yaghe, liana of the poor, that evokes the reverse of things —or the Pi-lu plant,

Mais attentif à sa lucidité, jaloux de son autorité, et tenant
clair au vent le plein midi de sa vision:

«Le cri! le cri perçant du dieu! qu'il nous saisisse en pleine
foule, non dans les chambres,
Et par la foule propagé qu'il soit en nous répercuté jus-
qu'aux limites de la perception . . .
Une aube peinte sur les murs, muqueuse en quête de son
fruit, ne saurait nous distraire d'une telle adjuration!»
Et le Poète encore est parmi nous . . . Cette heure peut-être
la dernière, cette minute même, cet instant! . . . Et nous avons
si peu de temps pour naître à cet instant!
«. . . Et à cette pointe extrême de l'attente, où la promesse
elle-même se fait souffle,
Vous feriez mieux vous-même de tenir votre souffle . . .
Et le Voyant n'aura-t-il pas sa chance? l'Écoutant sa ré-
ponse? . . .»
Poète encore parmi nous . . . Cette heure peut-être la
dernière . . . cette minute même! . . . cet instant! . . .

— «Le cri! le cri perçant du dieu sur nous!»

   .   .   .   .

But mindful of his lucidity, jealous of his authority, and holding clear in the wind the high noon of his vision:

"The cry! the piercing cry of the god! let it seize us in the midst of the crowd, not in the houses,

And spread abroad by the crowd may it reverberate within us to the limits of perception . . .

A dawn painted on the walls, living tissue in quest of its seed, would fail to distract us from such an adjuration!"

And still the Poet is with us . . . This hour perhaps the last, this minute even, this instant! . . . And we have so little time to be born to this instant!

". . . And at this extreme point of expectation, where promise itself becomes a breath,

You yourselves would do better to hold your breath . . . And will the Seer not have his chance? the Listener his answer? . . ."

Poet still amongst us . . . This hour perhaps the last . . . this minute even! . . . this instant! . . .

—"The cry! the piercing cry of the god upon us!"

.   .   .   .

IV

. . . C'ÉTAIT *hier. Les vents se turent. — N'est-il rien que d'humain?*

«A moins qu'il ne sa hâte, en perdra trace ton poème . . .»
O frontière, ô mutisme! Aversion du dieu!

Et les capsules encore du néant dans notre bouche de vivants.

Si vivre est tel, qu'on n'en médise! (le beau recours! . . .)
Mais toi n'aille point, ô Vent, rompre ton alliance.

Sinon, c'est tel reflux au désert de l'instant! . . . l'insanité,
soudain, du jour sur la blancheur des routes, et, grandissante
vers nos pas, à la mesure d'un tel laps,

L'emphase immense de la mort comme un grand arbre jaune
devant nous.

Si vivre est tel, qu'on s'en saisisse! Ah! qu'on en pousse à
sa limite,

D'une seule et même traite dans le vent, d'une seule et même
vague sur sa course,

Le mouvement! . . .

134

1

. . . I⊤ ᴡᴀs yesterday. The winds fell silent.—Is there nothing but the human thing?

"Unless you make haste, your poem will lose track of it . . ." O frontier, O silence! Aversion of the god!

And still the capsules of nothingness in our living mouths.

If living is like this, let it not be slandered! (a fine recourse! . . .) But neither must you, O Wind, break off your alliance.

Otherwise, there is such a reflux in the desert of the instant! . . . suddenly, the madness of light on the whiteness of the roads, and, growing toward our footsteps, within such a halt of time,

The immense emphasis of death like a great yellow tree before us.

If living is like this, let us seize upon it! Ah! let us force it,

With one and the same blast in the wind, with one and the same wave on its course,

To its limit! . . .

Et certains disent qu'il faut rire—allez-vous donc les révo-
quer en doute? Ou qu'il faut feindre—les confondre?

Et d'autres s'inscrivent en faux dans la chair de la femme,
comme étroitement l'Indien, dans sa pirogue d'écorce, pour
remonter le fleuve vagissant jusqu'en ses bras de fille, vers
l'enfance.

Il nous suffit ce soir du front contre la selle, à l'heure brève de
la sangle: comme en bordure de route, sur les cols, l'homme aux
naseaux de pierre de la source—et jusqu'en ce dernier quartier
de lune mince comme un ergot de rose blanche, trouvera-t-il
encore le signe de l'éperon.

Mais quoi! n'est-il rien d'autre, n'est-il rien d'autre que
d'humain? Et ce parfum de sellerie lui-même, et cette poudre
alezane qu'en songe, chaque nuit,

Sur son visage encore promène la main du Cavalier, ne
sauraient-ils en nous éveiller d'autre songe

Que votre fauve image d'amazones, tendres compagnes de
nos courses imprégnant de vos corps le parfum des jodhpurs?

Nous épousions un soir vos membres purs sur les pelleteries
brûlantes du sursaut de la flamme,

Et le vent en forêt vous était corne d'abondance, mais nos
pensées tenaient leurs feux sur d'arides rivages,

Et, femmes, vous chantiez votre grandeur de femmes aux fils
que nous vous refusions . . .

Amour, aviez-vous donc raison contre les monstres de nos
fables?

136

And some say one must laugh — will you then call them in question? Or that one must dissemble — will you confound them?

And others, dissenters, take refuge in the flesh of woman, as the Indian close held in his bark canoe, to ascend the wailing river up to its woman's arms, toward infancy.

Enough for us, tonight, is our brow against the saddle at the brief moment of girthing: as it is for the man by the roadside on the passes, against the stone nostrils of the spring — and even in this last quarter of the moon, slender as the ergot of a white rose, will he see once more the sign of the spur.

And now! is there nothing else, is there nothing else but the human thing? And this perfume of saddlery itself, and this powder of a sorrel horse that every night, in dreams,

The hand of the Horseman passes across his face again, can it arouse within us no other dream

Than your tawny image of riders, O tender companions of our rides, whose jodhpurs are imbued with the perfume of your bodies?

One night we espoused your pure limbs on the furs ardent from the sudden darting of the flame,

And to you the wind in the forest was a horn of plenty, but our thoughts kept their watch-fires along barren shores,

And, women, you sang of your grandeur as women, to the sons that we denied you . . .

Love, were you then in the right against the monsters of our fables?

Toujours des plaintes de palombes repeupleront la nuit du Voyageur.

Et qu'il fut vain, toujours, entre vos douces phrases familières, d'épier au très lointain des choses ce grondement, toujours, de grandes eaux en marche vers leurs Zambézies! . . .

De grandes filles nous furent données, qui dans leurs bras d'épouses dénouaient plus d'hydres que nos fuites.

Où êtes-vous qui étiez là, silencieux arome de nos nuits, ô chastes libérant dans vos chevelures impudiques une chaleureuse histoire de vivantes?

Vous qui nous entendrez un soir au tournant de ces pages, sur les dernières jonchées d'orage, Fidèles aux yeux d'orfraies, vous saurez qu'avec vous

Nous reprenions un soir la route des humains.

Always the wood-doves' lamentations will repeople the night of the Traveller.

And how vain it was, always, between your soft familiar phrases, in the great remoteness of things to espy that thundering, always, of great waters advancing toward their Zambezi-lands! . . .

Tall girls were given us, who unwound in their bridal arms more hydras than did our flights.

Where are you who were there, silent aroma of our nights, O chaste ones setting free in your wanton hair an ardent history of living beings?

You who will hear us one night at the turn of these pages, on the storm's last scatterings, Faithful Ones with ospreys' eyes, you will know that with you,

One night, we took once more the road of human beings.

2

Et l'homme *encore fait son ombre sur la chaussée des hommes.*

Et la fumée de l'homme est sur les toits, le mouvement des hommes sur la route,

Et la saison de l'homme sur nos lèvres comme un thème nouveau . . .

Si vivre est tel, si vivre est tel, nous faudra-t-il chercher plus bas faces nouvelles?

Aller où vont les Cordillères bâtées d'azur comme d'un chargement de quartz;

Où court la longue échine sur son arc, levant un fait d'écaille et d'os au pas de l'homme sans visage?

*

. . . Je me souviens d'un lieu de pierre—très haute table de ce monde où le vent traîne le soc de son aile de fer. Une Crau de pierres sur leur angle, comme un lit d'huîtres sur leur

2

AND again man casts his shadow on the causeway of men.

And the smoke of man is on the roofs, the movement of men on the road,

And the season of man like a new theme on our lips . . .

If living is like this, if living is like this, will we have to seek new faces further down?

To go where go the Cordilleras saddled with azure as though with a freight of quartz;

Where runs the long chine on its arc, raising an act of shell and bone in the steps of man then faceless?

*

. . . I remember a land of stone — very high table of this world where the wind drags the ploughshare of its iron wing. A Crau of stones at an angle, like a bed of oysters on edge:

tranche: telle est l'étrille de ce lieu sous la râpe du vent. (Des bêtes ont cette langue revêche, et comme madréporique, dont rêvent les belluaires.)

Je me souviens du haut pays sans nom, illuminé d'horreur et vide de tout sens. Nulle redevance et nulle accise. Le vent y lève ses franchises; la terre y cède son aînesse pour un brouet de pâtre—la terre plus grave, sous la gravitation de femmes lentes au relent de brebis . . . Et la Montagne est honorée par les ambulations des femmes et des hommes. Et ses adorateurs lui offrent des fœtus de lamas. Lui font une fumigation de plantes résineuses. Lui jettent à la volée des tripes de bêtes égorgées. Excréments prélevés pour le traitement des peaux.

Je me souviens du haut pays de pierre où les porcheries de terre blanche, avant l'orage, resplendissent au soir comme des approches de villes saintes. Et très avant dans la nuit basse, aux grandes salines s'éclaireront les marécages bordés de bauges pour les truies. Et de petits abris pour voyageurs, enfumés de copal . . .

—Qu'irais-tu chercher là?

. . . Une civilisation du maïs noir—non, violet: Offrandes d'œufs de flamants roses; bouillons d'avoine dans les cornes; et la sagesse tirée des grandes sacoches à coca.

Une civilisation de la laine et du suint: Offrandes de graisse sauvage; la mèche de laine au suif des lampes; et les femmes dégraissées au naphte pour les fêtes, les chevelures de lignite, sur les cadres, assouplies à l'urine.

Une civilisation de la pierre et de l'aérolithe: Offrandes de pyrites et de pierres à feu; mortiers et meules de grès brut; et

such is the curry-comb of this place under the rasp of the wind. (Some animals have such a tongue, harsh, as though madreporic, of which the wild-beast tamers dream.)

I remember the high nameless country, illumined with horror and void of all sense. No dues and no excise. There the wind claims its franchises; there the earth yields its birthright for a shepherd's pottage — the earth more grave, under the gravitation of women moving slowly, smelling of sheep . . . And the Mountain is honoured by the perambulation of women and of men. And its worshippers offer up to it foetuses of llamas. Brew resinous plants before it. Fling to it the tripe of slaughtered animals. Excrements set apart for the treating of the hides.

I remember the high stone land where, before the storm, the white earth pigsties shine at evening like the approaches to sacred towns. And very late in the low night, at the great salt-flats, light will come to the marshes bordered with wallows for the sows. And to little shelters for travellers, smoky with copal . . .

—What would you go there to seek?

. . . A civilization of the black maize — no, of the violet one: Offerings of pink flamingo eggs; oatmeal broths in horns; and wisdom drawn forth from the great coca-pouches.

A civilization of the wool and the wool-fat: Offerings of wild grease; the woolen wick in the tallow of the lamps; and the women cleansed with naphtha for the feasts, lignite hair on frames made supple with urine.

A civilization of the stone and the aerolite: Offerings of pyrites and flints; mortars and grindstones of rough sandstone; and the eye in the knot of the ashlars, like that at the

143

l'œil au nœud des moellons comme à l'épi des nébuleuses ornant
la grande nuit des pâtres . . .
　　— Qu'irais-tu sceller là?

　　. . . Je vous connais, réponses faites en silence, et les clés
peintes aux diagrammes des poteries usuelles. De grandes fêtes
de la pierre, de la laine et du grain assembleront une épaisseur
et un mutisme comme on en vit aux tranches des carrières:
agrégation massive des grandes familles indivises — bêtes gra-
vides, hommes de grès, femmes plus lourdes et vastes que des
pierres meulières — et l'intégration finale de la terre dans les
accouplements publics . . .
　　— Qu'irais-tu clore là?

✻

　　. . . Plus loin! plus loin! sur les versants de crépon vert,
　　Plus bas, plus bas, et face à l'Ouest! dans tout cet épanche-
ment du sol
　　Par grandes chutes et paliers — vers d'autres pentes, plus
propices, et d'autres rives, charitables . . .
　　Jusqu'à cette autre masse d'irréel, jusqu'à ce haut gisement
de chose pâle, en Ouest,
　　Où gît la grâce d'un grand nom — Mer Pacifique . . . ô mer
de Balboa! . . . Celle qu'il ne faut jamais nommer.
　　(Nuñez de Balboa, les tentations toujours sont fortes dans
ce sens!)

144

core of the nebulae adorning the great night of the shep-
herds . . .

—What would you go there to seal?

I know you, answers made in silence, and the keys
painted in the diagrams of domestic pottery. Great festivals
of the stone, the wool and the grain will assemble a thickness
and a muteness such as one saw in the layers of the quarries;
massive aggregations of the great undivided families—gravid
beasts, men of sandstone, women larger and heavier than
grindstones—and the final integration of the earth in the
public couplings . . .

—What would you go there to conclude?

*

. . . Farther on, farther on, on the green crépon slopes,
Further down, further down, and westward-faced! in all
this effusion of the soil
By great falls and flats—toward other slopes, more fa-
vourable, and other shores, more charitable . . .
To this other mass of unreality, to this high layer of
pallor, in the West,
Wherein abides the grace of a great name—Pacific
Sea . . . O sea of Balboa! . . . The one that must never
be named.
(Nuñez of Balboa, always the temptations are strong in
this direction!)

145

Plus bas, plus bas! sur les étagements gradués de ce versant du monde, baissant d'un ton, à chaque degré, la table plus proche de la Mer. (Et de toutes parts au loin elle m'est présente et proche, et de toutes parts au loin elle m'est alliance et grâce, et circonlocution — invitée à ma table de plein air et mêlée à mon pain, à l'eau de source dans les verres, avec la nappe bleuissante et l'argent et le sel, et l'eau du jour entre les feuilles.)

Plus vite, plus vite! à ces dernières versions terrestres, à ces dernières coulées de gneiss et de porphyre, jusqu'à cette grève de pépites, jusqu'à la chose elle-même, jaillissante! la mer elle-même jaillissante! hymne de force et de splendeur où l'homme un soir pousse sa bête frissonnante,

La bête blanche, violacée de sueur, et comme assombrie du mal d'être mortelle . . .

Je sais! . . . Ne rien revoir! — Mais si tout m'est connu, vivre n'est-il que revoir?

. . . Et tout nous est reconnaissance. Et toujours, ô mémoire, vous nous devancerez, en toutes terres nouvelles où nous n'avons vécu.

Dans l'adobe, et le plâtre, et la tuile, couleur de corne ou de muscade, une même transe tient sa veille, qui toujours nous précède; et les signes qu'aux murs retrace l'ombre remuée des feuilles en tous lieux, nous les avions déjà tracés.

*

Further down, further down! on the graduated tiers of this slope of the world, lowering by one tone, at each degree, the table nearer to the Sea. (And from everywhere in the distance she is present to me and close, and from everywhere in the distance she is alliance to me and grace, and circumlocution — invited to my table in the open and mingled with my bread, with the spring-water in the glasses, with the bluing table-cloth and the silver and the salt, and the water of the light between the leaves.)

Hasten on, hasten on! to these last terrestrial versions, to this last flow of gneiss and porphyry, up to this shore of nuggets, up to the thing itself gushing forth! the sea itself, gushing forth! a hymn of strength and of splendour into which one evening man thrusts his quivering beast,

The white beast, violet with sweat, and as though clouded over with the evil of being mortal . . .

I know! . . . To see nothing twice! — But if all is known to me, is living only to see twice?

. . . And everything is recognition for us. And always will you have been before us, O memory, in all the new lands where we have not lived.

In the adobe, and the plaster, and the tile, the colour of horn or of nutmeg, a similar trance holds vigil, always preceding us; and the signs the moving shadow of the leaves retraces on the walls everywhere, we have already traced.

*

Ici la grève et la suture. Et au delà le reniement . . . La Mer en Ouest, et Mer encore, à tous nos spectres familière.

✳

. . . *Plus loin, plus loin, où sont les premières îles solitaires —les îles rondes et basses, baguées d'un infini d'espace, comme des astres—îles de nomenclateurs, de généalogistes; grèves couvertes d'emblèmes génitaux, et de crânes volés aux sépultures royales . . .*

. . . *Plus loin, plus loin, où sont les îles hautes—îles de pierre ponce aux mains de cent tailleurs d'images; lèvres scellées sur le mystère des écritures, pierres levées sur le pourtour des grèves et grandes figures averse aux lippes dédaigneuses . . .*

. . . *Et au delà, les purs récifs, et de plus haute solitude— les grands ascètes inconsolables lavant aux pluies du large leurs faces ruisselantes de pitié . . .*

. . . *Et au delà, dernière en Ouest, l'île où vivait, il y a vingt ans, le dernier arbrisseau: une méliacée des laves, croyons-nous—Caquetage des eaux libres sur les effondrements de criques, et le vent à jamais dans les porosités de roches basaltiques, dans les fissures et dans les grottes et dans les chambres les plus vaines, aux grandes masses de tuf rouge . . .*

. . . *Et au delà, et au delà, sont les derniers froncements d'humeur sur l'étendue des mers. Et mon poème encore vienne à grandir avec son ombre sur la mer . . .*

. . . *Et au delà, et au delà, qu'est-il rien d'autre que toi-*

148

Here the shore and the seam. And beyond, the disowning
. . . The Sea in the West, and Sea again, familiar to all our
phantoms.

*

. . . Farther on, farther on, where the first solitary islands are—islands round and low, ringed with infinite space,
like stars—islands of nomenclators, of genealogists; shores
covered with genital emblems, and with skulls stolen from
royal sepulchres . . .

. . . Farther on, farther on, where the high islands are—
islands of pumice stone in the hands of a hundred carvers of
images; lips sealed on the mystery of the scriptures, stones
raised on the periphery of the shores and great averted
figures with long disdainful lips . . .

. . . And beyond, the inviolate reefs, in higher solitude—
the great inconsolable ascetics washing in the rains of the
open seas their faces streaming with pity . . .

. . . And beyond, last in the West, the island where,
twenty years ago, the last shrub lived: a meliacea of the
lavas, we believe—Chattering of free waters over the sunken
creeks, and the wind forever in the porosities of basalt rocks,
in the fissures and the grottoes and the waste chambers,
through great masses of red tufa . . .

. . . And beyond, and beyond, are the last frowns of a
mood on the expanse of the seas. And may my poem yet come
to grow with its shadow on the sea . . .

. . . And beyond, and beyond, what is there other than

149

même—qu'est-il rien d'autre que d'humain? . . . Minuit en mer après Midi . . . Et l'homme seul comme un gnomon sur la table des eaux . . . Et les capsules de la mort éclatent dans sa bouche . . .

. . . Et l'homme en mer vient à mourir. S'arrête un soir de rapporter sa course. Capsules encore du néant dans la bouche de l'homme . . .

yourself? what is there other than the human thing? . . .
Midnight at sea after Midday . . . A man alone like a
gnomon on the table of the waters . . . And the capsules
of death explode in his mouth . . .

    . . . And man at sea comes to his death. Ceases one night
to mark his course. Capsules of nothingness still in the mouth
of man . . .

3

C'est en ce point de ta rêverie que la chose survint: l'éclair soudain, comme un Croisé! — le Balafré sur ton chemin, en travers de la route,

Comme l'Inconnu surgi hors du fossé qui fait se cabrer la bête du Voyageur.

Et à celui qui chevauchait en Ouest, une invincible main renverse le col de sa monture, et lui remet la tête en Est. «Qu'allais-tu déserter là? . . .»

*

Songe à cela plus tard, qu'il t'en souvienne! Et de l'écart où maintenir, avec la bête haut cabrée,

Une âme plus scabreuse.

3

I⫫ is at this point in your reverie that the thing occurred:
the sudden flash of light, crossed like a Crusader!—the Balafré on your path, athwart the road,

Like the Unknown One arisen from the ditch, who causes
the Traveller's animal to rear.

And on him riding Westward an invincible hand descends, wrenching his horse's head around to the East.
"What were you about to abandon there? . . ."

*

Dream of that later on, may you remember it! And the
aloofness in which to maintain, with the animal rearing high,

A more precipitous soul.

4

Nous *reviendrons, un soir d'Automne, sur les derniers roulements d'orage, quand le trias épais des golfes survolés ouvre au Soleil des morts ses fosses de goudron bleu.*

Et l'heure oblique, sur l'aile de métal, cloue sa première écharde de lumière avec l'étoile de feu vert. Et c'est un jaillissement de sève verte au niveau de notre aile,

Et soudain, devant nous, sous la haute barre de ténèbre, le pays tendre et clair de nos filles, un couteau d'or au cœur!

*

«. . . Nous avions rendez-vous avec la fin d'un âge. Et nous voici, les lèvres closes, parmi vous. Et le Vent avec nous — ivre d'un principe amer et fort comme le vin de lierre;

Non pas appelé en conciliation, mais irritable et qui vous chante: j'irriterai la moelle dans vos os . . . (Qu'étroite encore fut la mesure de ce chant!)

154

4

ONE autumn evening we shall return, on the last rumblings of the storm, when the dense trias of the gulfs over which we fly opens its pits of blue tar to the Sun of the dead.

And the oblique hour, on the metal wing, nails its first splinter of light with the star of green fire. And there is a gushing forth of green sap level with our wing,

And suddenly, before us, beneath the lofty bar of the dark, the clear and tender land of our daughters, a golden knife in its heart!

*

". . . We had a rendezvous with the end of an age. And here we are, close-lipped, among you. And the Wind with us —drunk with a principle bitter and strong as ivy wine.

Not summoned in conciliation, but irritable and singing to you: I will irritate the marrow in your bones . . . (Still how limited has been the compass of this song!)

Et l'exigence en nous ne s'est point tue; ni la créance n'a décrû. Notre grief est sans accommodement, et l'échéance ne sera point reportée.

Nous vous demanderons un compte d'hommes nouveaux —d'hommes entendus dans la gestion humaine, non dans la précession des équinoxes.

L'aile stridente, sur nos ruines, vire déjà l'heure nouvelle. Et c'est un sifflement nouveau! . . . Que nul ne songe, que nul ne songe à déserter les hommes de sa race!

Toutes les herbes d'Asie à la semelle blanche du lettré ne sauraient nous distraire de cette activité nouvelle; ni un parfum de fraise et d'aube dans la nuit verte des Florides . . .»

—Et vous, hommes du nombre et de la masse, ne pesez pas les hommes de ma race. Ils ont vécu plus haut que vous dans les abîmes de l'opprobre.

Ils sont l'épine à votre chair; la pointe même au glaive de l'esprit. L'abeille du langage est sur leur front,

Et sur la lourde phrase humaine, pétrie de tant d'idiomes, ils sont seuls à manier la fronde de l'accent.

*

. . . Nous reviendrons un soir d'Automne, avec ce goût de lierre sur nos lèvres; avec ce goût de mangles et d'herbages et de limons au large des estuaires.

Comme ce Drake, nous dit-on, qui dînait seul en mer au son

156

And the exigency within us has not been stilled; nor has our claim decreased. Our grievance is beyond settlement, and its maturity will not be delayed.

We will call you to account for new men — men skilled in human management, not in the precession of the equinoxes.

Its wing strident, the new hour is already soaring over our ruins. And new is the whistling! . . . Let no one dream, let no one dream of deserting the men of his own race!

All the herbs of Asia under the white sole of the Sage could not deter us from this new activity; nor a perfume of strawberries and dawn in the green night of the Floridas . . ."

— And you, men of the number and the mass, do not weigh the men of my race. They have lived more loftily than you in the abysses of disgrace.

They are the thorn to your flesh; the very point of the spirit's sword. The bee of language is on their brow,

And on the heavy human phrase, kneaded with so many idioms, they are the only ones to wield the sling of the accent.

*

. . . One autumn evening we will return, with this taste of ivy on our lips; with this taste of mangles and herbages and silt coming off the estuaries.

Like that Drake who dined, we are told, alone at sea to

157

*de ses trompettes, rapporterons-nous en Est un mouvement plus
large d'avoir crû sur l'arc des golfes les plus vastes? . . .*

    *Nous reviendrons avec le cours des choses réversibles, avec
la marche errante des saisons, avec les astres se mouvant sur
leurs routes usuelles,*

    *Les trois étoiles mensuelles se succédant encore dans leur
coucher héliaque et la révolution des hommes s'aggravant en ce
point de l'année où les planètes ont leur exaltation.*

    *Et le Vent, ha! le Vent avec nous, dans nos desseins et dans
nos actes, qu'il soit notre garant! (Comme l'Émissaire d'autres
contrées, de l'autre côté des grandes chaînes désertiques,*

    *Qui a longtemps couru et voyagé pour rapporter bouture de
feu dans son pavot de fer; ou qui s'avance, s'écriant: semences
nouvelles pour vos terres! vignes nouvelles pour vos combes! Et
les gens du pays se lèvent sur leurs maux.)*

    *. . . Ou survolant peut-être, avant le jour, les ports encore
sous leurs feux verts, nous faudra-t-il, longeant les douanes
silencieuses et les gares de triage, et puis prenant par les faubourgs, et l'arrière-cour et les communs,*

    *Nous faudra-t-il, avant le jour, nous frayer route d'étranger
jusqu'à la porte de famille? alors qu'il n'est personne encore
dans les rues pour disputer aux Parques matinales*

    *L'heure où les morts sans sépulture quêtent les restes des
poubelles et les doctrines au rebut dans les amas du chiffon-
nier . . .*

    Et c'est l'heure, ô Mendiant! où sur les routes méconnues

the sound of his trumpets, will we bring back to the East a movement larger for having grown on the arc of the greatest of gulfs? . . .

We will return with the course of reversible things, with the wandering progress of the seasons, with the stars moving along their accustomed routes,

The three monthly stars once more succeeding each other in their heliacal setting and the evolution of man increasing at that stage of the year when the planets reach their exaltation.

And the Wind, ah! the Wind with us, in our designs and in our actions, may he be our guarantor! (Like the Emissary from other regions, on the other side of the great desert ranges,

Who has roved and travelled long to bring back a slip of fire in his iron poppy; or who draws near, crying: new seeds for your land! new vines for your valleys! And the men of the land arise from their hardships.)

. . . Or flying perhaps, before daybreak, over the ports still marked with green lights, will it be necessary for us, skirting the silent custom-houses and the sorting stations, and then going by way of the suburbs, and the backyard and the outbuildings,

Will it be necessary for us, before daybreak, to follow a stranger's road to the family door? when as yet there is no one in the streets to contend with the early-morning Fates

For that hour when the unburied dead go in search of scraps in the garbage and rejected doctrines in the rag-picker's piles . . .

And it is the hour, O Mendicant! when, on disregarded

*l'essaim des songes vrais ou faux s'en va encore errer le long des
fleuves et des grèves, autour des grandes demeures familiales
désertées du bonheur,*

*Et la visibilité de Mercure est encore proche dans la constel-
lation du Capricorne, et Mars peut-être à sa plus grande puissance se tient, splendide et vaste, sur la Beauce,*

*Et les lits des guerriers sont encore vides pour longtemps.
(Ils nous ont fait, disent-ils, des prédictions: qu'ils prennent la
garde pour longtemps contre le renouvellement des mêmes
choses.)*

*

*«. . . Pétrels, nos cils, au creux de la vision d'orage, nous
épelez-vous lettre nouvelle dans les grands textes épars où fume
l'indicible?*

*Vous qui savez, rives futures, où s'inscriront nos actes, et
dans quelles chairs nouvelles se lèveront nos dieux,*

*Gardez-nous un lit pur de toute défaillance, une demeure
libre de toute cendre consumée . . .»*

*Des caps ultimes de l'exil — un homme encore dans le vent
tenant conseil avec lui-même — j'élèverai une dernière fois la
main.*

*Demain, ce continent largué . . . et derrière nous encore
tout ce sillage d'ans et d'heures, toute cette lie d'orages vieillissants.*

*Là nous allions parmi les hommes de toute race. Et nous
avions beaucoup vécu. Et nous avions beaucoup erré. Et nous*

160

roads, the swarm of dreams true or false goes wandering again along the rivers and the shores, around the great familiar dwellings deserted by happiness,

And in the constellation of Capricorn one still sees Mercury near by, and Mars perhaps at the height of its power hangs, huge and splendid, over Beauce,

And for a long time the beds of the warriors are still empty. (They had made, they say, predictions for us: let them keep a long watch against the renewal of the same things.)

*

". . . Petrels, our eyelashes, in the trough of our vision's storm, do you spell for us a new letter from the great scattered texts where smokes the inexpressible?

Shores of the future, you who know where our acts will be inscribed, and in what new flesh our gods will arise,

Keep for us a bed innocent of all failure, a dwelling free of all consumed ashes . . ."

From the very last headlands of exile — a man still in the wind holding counsel with himself — I will raise my hand one last time.

Tomorrow, this continent cast off . . . and still behind us all that wake of years and hours, all those dregs of aging storms.

There we walked with the men of every race. And we had lived long, and we had wandered far. And we read the peoples

lisions les peuples par nations. Et nous disions les fleuves sur-
volés, et les plaines fuyantes, et les cités entières sur leurs dis-
ques qui nous filaient entre les doigts — grands virements de
comptes et glissements sur l'aile.

. . . Et comme s'inclinait l'immense courbe vers sa fin, à ce
très grand tournant de l'heure vers sa rive et vers son dernier
port,

J'ai vu encore la Ville haute sous la foudre, la Ville d'orgues
sous l'éclair comme ramée du pur branchage lumineux, et la
double corne prophétique cherchant encore le front des foules, à
fond de rues et sur les docks . . .

Et de tels signes sont mémorables — comme la fourche du
destin au front des bêtes fastidieuses, ou comme l'algue bi-
fourchue sur sa rotule de pierre noire.

162

by nations. And we spoke of the rivers we had flown over, of the fleeing plains, and of the entire cities on their disks that slipped through our fingers — great veerings of accounts and slidings on the wing.

And as the immense curve inclined toward its end, at this very great turning of the hour toward its shore and toward its last port,

I saw again the Town high under the thunderbolt, the Town of giant organs under the lightning as though branched with pure luminous boughs, and the paired prophetic horns still searching the brow of the crowd, in the depth of the streets and on the docks . . .

And such signs are memorable — like the fork of destiny on the brow of the fastidious beasts, or like the forked seaweed on its patella of black stone.

163

5

Avec vous, et le Vent avec nous, sur la chaussée des hommes de ma race!

«. . . Nous avions rendez-vous avec la fin d'un âge. Nous trouvons-nous avec les hommes d'un autre âge?
Les grandes abjurations publiques ne suffiraient à notre goût. Et l'exigence en nous ne s'est point tue.
Il n'y a plus pour nous d'entente avec cela qui fut.

Nous en avions assez de ces genoux trop calmes où s'enseignait le blé,
De ces prudhommeries de pierre sur nos places, et de ces Vierges de Comices sur le papier des Banques;
Assez de ces porteuses de palmes et d'olives sur nos monnaies trop blondes, comme ces filles et mères d'Empereurs qui s'appelaient Flavie.

Nous en avions assez, Lia, des grandes alliances de familles, des grandes cléricatures civiles; et de ces fêtes de Raison, et de ces mois intercalaires fixés par les pouvoirs publics.

164

With you, and the Wind with us, on the causeway of the men of my race!

". . . We had a rendezvous with the end of an age. Do we find ourselves with men of another age?

The great public abjurations would not be sufficient for our taste. And the exigency within us has not been stilled.

For us no longer any agreement with what has been.

We have had enough of those knees, too calm, on which we were instructed about the wheat,

Of those stone pomposities in our squares, and of those Virgins of Comitia on the paper of Banks;

Enough of those bearers of palms and olives on our too pale gold, like those daughters and mothers of Emperors who were named Flavia.

We have had enough, Lia, of those great family alliances, of the great lay priesthoods; and of those festivals of Reason, and of those intercalary months appointed by the public authorities.

Nous possédons un beau dossier de ces jeux d'écritures. Vos bêtes à beurre, vos étables n'en sauraient plus faire les frais.

Et les Palais d'Archives sur la Ville hausseront-ils encore au jour naissant leurs médaillons de pierre vides comme des taies d'aveugles?»

*

Ah! quand les peuples périssaient par excès de sagesse, que vaine fut notre vision! . . . La ravenelle et la joubarbe enchantaient vos murailles. La terre contait ses Roi René. Et dans ces grands Comtats où le blé prit ses aises, dispersant feux et braises aux grandes orgues des Dimanches, le ravissement des femmes aux fenêtres mêlait encore aux carrosseries du songe le bruit d'attelages des grillons . . .

Filles de veuves sur vos landes, ô chercheuses de morilles dans les bois de famille, alliez-vous vivre du bien d'épaves de vos côtes? . . . herpes marines et ambre gris, et autres merveilles atlantiques — moulures fauves et trumeaux peints des vieilles frégates noir et or, ouvertes en mer, de main divine, pour vos acquêts en dot et pour vos douaires — peut-être aussi quelque figure de proue aux seins de jeune Indienne, à fiancer un soir d'hiver, dans les Cuisines féeriques, à vos histoires de sœurs de lait? . . .

Et vous, hommes de venelles et d'impasses aux petites villes à panonceaux, vous pouvez bien tirer au jour vos liards et mailles

166

We possess fine records of those shifts. Your dairy-cattle, your stables could no longer bear the expense of them.

And will the Halls of Archives lift again, over the Town, to the dawning day, their stone medallions blank as blind men's eyes?"

*

Ah! when nations were perishing from an excess of prudence, how vain was our vision! . . . The wallflower and the stonecrop gave enchantment to your ramparts. The earth told the tale of its King Renés. And in those great Counties where the wheat took its ease, scattering fire and embers to the great Sunday organs, the delight of women at their windows still harnessed the crickets' jingling bells to the coaches of dream.

Daughters of widows on your moors, O seekers of morels in the family woods, were you going to live off salvage from the wrecks on your coasts? . . . sea treasures and ambergris, and other Atlantic marvels — gilt mouldings and painted panels of old black and gold frigates, opened at sea, by divine hand, for your dowry portions and your jointures — also perhaps some figurehead with the breasts of a young Indian girl, to affiance one winter night, in the fairy kitchens, to your tales of foster-sisters? . . .

And you, men of lanes and of blind alleys in small towns with escutcheon signs, you may well bring to light your farth-

de bon aloi: ce sont reliques d'outre-monde et dîmes pour vos Marguilliers . . . Compère, as-tu fini d'auner ton drap sur le pas de l'échoppe? et tireras-tu toujours les Rois dans l'arrière-boutique? Ton vin tiré, d'autres l'ont bu. Et la caution n'est plus bourgeoise . . .

*

«Nous en avions assez, prudence, de tes maximes à bout de fil à plomb, de ton épargne à bout d'usure et de reprise. Assez aussi de ces Hôtels de Ventes et de Transylvanie, de ces marchandes d'antiquailles au coin des places à balcons d'or et ferronneries d'Abbesses — bonheurs-du-jour et cabinets d'écaille, ou de guyane; vitrines à babioles et verreries de Bohême, pour éventails de poétesses — assez de ces friperies d'autels et de boudoirs, de ces dentelles de famille reprises en compte au tabellion . . .

Et que dire de celui qui avait hérité un petit bien de famille, qui épousait pignon sur rue, ou qui tenait demeure de loisir sur la place de l'Église? — de celui qu'apaisait une petite vigne aux champs; un verger en province pleurant ses gommes d'or; un vieux moulin fleurant la toile peinte, série du Fabuliste; un clos d'abeilles, peut-être, en bordure de rivière, et son arceau de vieille Abbaye? — ou mieux, s'aménageait, de ses recettes en Bourse, une gloriette ou folie, en retrait d'angle ou en encorbellement,

ings and half-farthings of sterling worth; they are relics of
another world and tithes for your Churchwardens . . . . Fel-
low, have you finished measuring your cloth on the threshold
of the stall? and will you always celebrate Twelfth-night in
the back shop? The wine you have drawn, others have drunk.
And security is no longer valid . . .

*

"We have had enough, O prudence! of your maxims
weighted to plumb-line, of your thrift pushed to the end of
usury and recovery. Enough too of those Hôtels de Ventes
and de Transylvanie, of those antique dealers at the corner
of squares with gilded balconies and ironwork of Abbesses —
escritoires and cabinets of tortoise-shell, or of Guiana wood;
glass-cupboards for bibelots and Bohemian glass, for poet-
esses' fans — enough of those fripperies of altars and of
boudoirs, of those family laces recovered on account from
the notary . . .

And what is to be said of him who had inherited a small
family property, who married someone possessed of a fine
house, or who maintained a spare-time dwelling on the
Church square? — of him whom a little vineyard in the fields
appeased; an orchard in the country weeping its golden gum;
an old mill smelling of printed hangings, Fabulist series; an
enclosure with bees, perhaps, by the side of the stream, and
its old Abbey archway? — or better, laid out for himself, from
his receipts on the Stock Exchange, a gloriette or a folly,
nestling in a corner or projecting, against the ramparts of a

169

contre les remparts d'une ville morte — dentelle de fer et d'or sous le masque des pampres, reliures de miel et d'or au creux des pièces en rotonde, et le duvet d'alcôve, à fond de chambre, aux derniers feux des soirs d'Été . . .

O tiédeur, ô faiblesse! O tiédeur et giron où pâlissait le front des jeunes hommes . . . Il y aura toujours assez de lait pour les gencives de l'esthète et pour le bulbe du narcisse . . . Et quand nos filles elles-mêmes s'aiguisent sous le casque, chanterez-vous encore l'ariette de boudoir, ô grâces mortes du langage? . . .

Soufflé l'avoir, doublée la mise — sur toute ruine l'idée neuve! . . . Ah! qu'elle vibre! qu'elle vibre! . . . et stridente, nous cingle! — comme la corde résineuse au dé de corne de l'archer.»

*

A la queue de l'étang dort la matière caséeuse. Et la boue de feuilles mortes au bassin d'Apollon.

Qu'on nous débonde tout cela! Qu'on nous divise ce pain d'ordure et de mucus. Et tout ce sédiment des âges sur leurs phlegmes!

Que l'effarvate encore entre les joncs nous chante la crue des eaux nouvelles . . .

Et la ruée des eaux nouvelles se fraye sa route de fraîcheur dans ces purins et dans ces tartres,

Et l'An nouveau s'ouvre du poitrail un radieux sillage, et c'est comme un plaisir sexuel

170

dead city—lacework of gold and iron beneath the mask of the vine leaves, honey and golden bindings in the hollow of circular rooms, and the down bed in the alcove, at the end of the room, in the dying lights of Summer evenings . . .

O tepid love, O weakness! O tepid love, O lap whereon the brows of young men paled . . . There will always be sufficient milk for the gums of the aesthete and for the bulb of the narcissus . . . And when our daughters themselves grow keen-faced under the helmet, will you again sing the boudoir arietta, O dead graces of the language?

The property vanished, the stakes doubled—on every ruin the young idea! . . . Ah! let it vibrate! let it vibrate! . . . and, strident, let it lash us!—like the resinous cord against the archer's horn thimble."

*

At the end of the pond sleeps the caseous matter. And the mire of dead leaves in Apollo's basin.

Let them sluice out all of that! Let them slice for us that loaf of garbage and mucus. And all that sediment of the ages on their phlegm!

Let the reed-warbler amid his reeds sing for us again the rising of new waters . . .

And the rush of new waters carves out its path of freshness amongst these manures and these tartars,

And with its breast the new Year opens up a radiant wake, and it is like a sexual pleasure

*De jeunes bêtes sous l'écume et d'hommes en armes s'é-
brouant dans le torrent d'Arbelles . . .*

*«Laves! et le mouvement, au revers de l'immense labour,
levant à l'infini du monde la grande chose ourlienne! . . .*

*O décharge! ô charroi! où l'Ange noir des laves nous chante
encore son chant de trompes volcaniques, dans des ruptures de
cols et de matrices! . . .*

*Et le Vent avec lui! comme un grand feu d'écume pétillante,
ou le jaillissement soudain, au passage de la barre, de la plus
haute vague! avant le débouché en mer vers les eaux vertes . . .»*

*

*. . . Et ce n'est pas, grand merci non! que l'inquiétude
encore ne rôde en tous parages:*

*Avec ces chouanneries d'orage dans nos bois, avec l'épine et
l'aileron du vent sur toutes landes et guérets;*

*Dans les menées du ciel en course comme levées de jacqueries,
et dans les pailles des cours de fermes,*

Entre la faux, la fourche et les grands fers des granges;

*Avec ce frémissement de chaînes aux étables et ce tintement
d'éperons dans les pénombres,*

Comme aux temps d'équinoxe, dans les jumenteries, quand

Of young animals under the foam and of men in arms splashing in the torrent of Arbela . . .

"Lavas! and the movement, on the other side of the vast furrow, lifting the great swelling thing to the infinite of the world! . . .

O discharge! O carrying down! where the black Angel of the lavas sings to us again his song of volcanic trumps, in the rupture of pouches and wounds! . . .

And the Wind with him! like a great fire of sparkling foam, or the sudden spouting forth of the tallest wave at the passage of the bar! before opening out into the sea toward the green waters . . ."

*

. . . And it is not, thank God! that anxiety does not still prowl in every quarter:

With those gathering storms like Chouan risings in our woods, with the thorn and pinion of the wind on all heaths and fallow lands;

In the schemings of the racing sky, like an outbreak of Jacqueries, and in the flying straw of the farmyards,

Between the scythe, the fork and the great irons of the barns;

With that rattling of chains in the stables and that jingling of spurs in the dusk,

As at the time of the equinox, in the breeding-studs,

173

il est recommandé aux gardiens de juments de prendre femmes
au pays . . .

Un vent du Sud s'élèvera-t-il à contre-feu? Inimitiés alors
dans le pays. Renchérissement du grain. Et le lit des jeunes
hommes demeurera encore vide . . . Et les naissances poétiques
donneront lieu à enquête . . .

*

«. . . Or c'est de tout cela que vous tirez levain de force et
ferment d'âme.

Et c'est temps de bâtir sur la terre des hommes. Et c'est
regain nouveau sur la terre des femmes.

De grandes œuvres déjà tressaillent dans vos seigles et l'em-
pennage de vos blés.

Ouvrez vos porches à l'An neuf! . . . Un monde à naître
sous vos pas! hors de coutume et de saison! . . .

La ligne droite court aux rampes où vibre le futur, la ligne
courbe vire aux places qu'enchante la mort des styles . . .

—Se hâter! Se hâter! Parole du plus grand Vent!»

—Et du talon frappée, cette mesure encore au sol, cette
mesure au sol donnée,

Cette mesure encore, la dernière! comme au Maître du chant.

Et le Vent avec nous comme Maître du chant:

174

when the guardians of the mares are enjoined to take wives in the country . . .

Will a South wind arise as a back-fire? Then enmities in the land. Rise in the price of wheat. And the young men's bed will still remain empty . . . And the births of Poets will provoke an inquiry . . .

*

". . . Now it is from all this that you draw yeast of strength and ferment of soul.

And it is time to build on the land of men. And there is a new growth on the land of women.

Already great works quiver in your rye and the feathered tips of your wheat.

Open your porches to the new Year! . . . A world to be born under your footsteps! outside of custom and season! . . .

The straight line runs to the slopes where the future vibrates, the curved line turns to the squares enchanted by the death of styles . . .

—Hasten! Hasten! Word of the greatest Wind!"

—And tapped out by the heel, this metre still to the soil, this metre given to the soil,

This metre still, the last! as though to the Master of song.

And the Wind with us as Master of song:

175

«. . . *Je hâterai la sève de vos actes. Je mènerai vos œuvres à maturation.*

Et vous aiguiserai l'acte lui-même comme l'éclat de quartz ou d'obsidienne.

Des forces vives, ô complices, courent aux flancs de vos femmes, comme les affres lumineuses aux flancs des coques lacées d'or.

Et le poète est avec vous. Ses pensées parmi vous comme des tours de guet. Qu'il tienne jusqu'au soir, qu'il tienne son regard sur la chance de l'homme!

Je peuplerai pour vous l'abîme de ses yeux. Et les songes qu'il osa, vous en ferez des actes. Et à la tresse de son chant vous tresserez le geste qu'il n'achève . . .

O fraîcheur, ô fraîcheur retrouvée parmi les sources du langage! . . . Le vin nouveau n'est pas plus vrai, le lin nouveau n'est pas plus frais.

. . . *Et vous aviez si peu de temps pour naître à cet instant!*»

". . . I shall hasten the rising of sap in your acts. I shall lead your works to maturation.

And I shall sharpen for you the act itself like the splinter of quartz or obsidian.

Live forces, O accomplices, run along the flanks of your women, as luminous shivers run along the flanks of hulls laced with gold.

And the Poet is with us. His thoughts amongst you like watchtowers. Until the evening, may he maintain, may he maintain his gaze on the fortune of man!

I shall people for you the abyss of his eyes. And you will turn into acts the dreams he has dared. And into the braid of his song you will weave the gesture he does not conclude . . .

O freshness, O freshness rediscovered among the sources of language! . . . The new wine is no truer, the new flax no fresher.

. . . And you had so little time to be born to this instant! . . ."

. . . C'ÉTAIENT *de très grands vents sur la terre des hommes*
— de très grands vents à l'œuvre parmi nous,

Qui nous chantaient l'horreur de vivre, et nous chantaient
l'honneur de vivre, ah! nous chantaient et nous chantaient au
plus haut faîte du péril,

Et sur les flûtes sauvages du malheur nous conduisaient,
hommes nouveaux, à nos façons nouvelles.

C'étaient de très grandes forces au travail, sur la chaussée
des hommes — de très grandes forces à la peine

Qui nous tenaient hors de coutume et nous tenaient hors de
saison, parmi les hommes coutumiers, parmi les hommes
saisonniers,

Et sur la pierre sauvage du malheur nous dépouillaient la
terre vendangée pour de nouvelles épousailles.

Et de ce même mouvement de grandes houles en croissance,
qui nous prenaient un soir à telles houles de haute terre, à telles
houles de haute mer,

Et nous haussaient, hommes nouveaux, au plus haut faîte de

178

6

. . . THESE were very great winds over the land of men—
very great winds at work among us,

Singing to us the horror of living, and singing to us the
honour of living, ah! singing to us and singing to us from the
very summit of peril,

And, with the savage flutes of misfortune, leading us, new
men, to our new ways.

These were very great forces at work on the causeway of
men—very great forces in labour

Holding us outside of custom and holding us outside of
season, among men of custom, among men of season,

And on the savage stone of misfortune stripping bare for
us the land that is vintaged for new nuptials.

And with this same movement of great swells on the increase, which seized us one evening from such swells of high
land, from such swells of high sea,

And raised us, new men, to the very summit of the in-

*l'instant, elles nous versaient un soir à telles rives, nous lais-
saient,*

*Et la terre avec nous, et la feuille, et le glaive — et le monde où
frayait une abeille nouvelle . . .*

*Ainsi du même mouvement le nageur, au revers de sa nage,
quêtant la double nouveauté du ciel, soudain tâte du pied
l'ourlet des sables immobiles,*

*Et le mouvement encore l'habite et le propage, qui n'est plus
que mémoire — murmure et souffle de grandeur à l'hélice de
l'être,*

*Et les malversations de l'âme sous la chair longtemps le
tiennent hors d'haleine — un homme encore dans la mémoire du
vent, un homme encore épris du vent, comme d'un vin . . .*

*Comme un homme qui a bu à une cruche de terre blanche:
et l'attachement encore est à sa lèvre*

*Et la vésication de l'âme sur sa langue comme une intempé-
rie,*

*Le goût poreux de l'âme, sur sa langue, comme une piastre
d'argile . . .*

*O vous que rafraîchit l'orage, la force vive et l'idée neuve
rafraîchiront votre couche de vivants, l'odeur fétide du malheur
n'infectera plus le linge de vos femmes.*

*Repris aux dieux votre visage, au feu des forges votre éclat,
vous entendrez, et l'An qui passe, l'acclamation des choses à
renaître sur les débris d'élytres, de coquilles.*

Et vous pouvez remettre au feu les grandes lames couleur

stant, they cast us one evening onto new shores, and left us,

And the land with us, and the leaf, and the sword — and the world visited by a new bee . . .

Thus through the same movement the swimmer, rolling and rolling, to seek and seek, on each side, a new vision of the sky, suddenly feels with his foot the rim of immobile sands,

And still he is inhabited, and propagated as well by that same movement, which remains only memory — murmur and breath of grandeur in the spiral of the being,

And the frauds of the soul beneath the flesh keep him a long time out of breath — a man still in the memory of the wind, a man still enamoured of the wind, as of a wine . . .

Like a man who has drunk from a white earthen jar: and the seal is still on his lip

And the burning of the soul on his tongue like a torrid climate,

The porous taste of the soul on his tongue, like a clay piastre . . .

O you whom the storm refreshes, the live force and the young idea will refresh your bed of living men, the fetid odour of misfortune will no more infect the linen of your women.

Your face recovered from the gods, your lustre from the fire of the forges, you will hear the passing Year, and the greeting of things to be reborn on the rubble of wing-sheaths and of shells.

And you can replace in the fire the great blades, colour of

181

de foie sous l'huile. Nous en ferons fers de labour, nous connaî-
trons encore la terre ouverte pour l'amour, la terre mouvante,
sous l'amour, d'un mouvement plus grave que la poix.

Chante, douceur, à la dernière palpitation du soir et de la
brise, comme un apaisement de bêtes exaucées.
Et c'est la fin ce soir du très grand vent. La nuit s'évente à
d'autres cimes. Et la terre au lointain nous raconte ses mers.
Les dieux, pris de boisson, s'égareront-ils encore sur la terre
des hommes? Et nos grands thèmes de nativité seront-ils discutés
chez les doctes?

Des Messagers encore s'en iront aux filles de la terre, et leur
feront encore des filles à vêtir pour le délice du poète.
Et nos poèmes encore s'en iront sur la route des hommes,
portant semence et fruit dans la lignée des hommes d'un autre
âge—
Une race nouvelle parmi les hommes de ma race, une race
nouvelle parmi les filles de ma race, et mon cri de vivant sur
la chaussée des hommes, de proche en proche, et d'homme en
homme,

Jusqu'aux rives lointaines où déserte la mort! . . .

liver under oil. We shall make of them iron for the plough, we shall know again the earth open to love, the earth moving, under love, with a movement heavier than pitch.

Sing, sweetness, to the last palpitation of the evening and the breeze, like an appeasement of gratified beasts.

And to its end, this evening, comes the very great wind. The night airs itself at other summits. And in the distance the earth is narrating its seas.

Will the gods, taken with drink, venture again on the earth of men? And will our great themes of nativity be discussed among the learned?

Messengers will go forth again to the daughters of the earth, and will have from them more daughters, to be dressed for the poet's delight.

And our poems will go forth again on the roadway of men, bearing seed and fruit in the lineage of men of another age—

A new race among the men of my race, a new race among the daughters of my race, and my cry of a living being on the causeway of men, from place to place, and from man to man,

Unto the distant shores where death deserts! . . .

183

7

Q<small>UAND</small> *la violence eut renouvelé le lit des hommes sur la*
terre,

Un très vieil arbre, à sec de feuilles, reprit le fil de ses maxi-
mes . . .

Et un autre arbre de haut rang montait déjà des grandes
Indes souterraines,

Avec sa feuille magnétique et son chargement de fruits
nouveaux.

Hundred Acre Island, Maine, 1945

7

W<small>HEN</small> violence had remade the bed of men on the earth,
    A very old tree, barren of leaves, resumed the thread of
its maxims . . .
    And another tree of high degree was already rising from
the great subterranean Indies,
    With its magnetic leaf and its burden of new fruits.

Hundred Acre Island, Maine, 1945

BIBLIOGRAPHICAL NOTE

I

WINDS

Vents was written in Maine, U. S. A., in 1945. The French text was first published in Paris, in a de luxe edition, large in-quarto and large typography, by N.R.F., Gallimard, 1946. It was included in Volume I of a first edition of *Œuvre poétique* (including also *Éloges, La Gloire des Rois, Anabase,* and *Exil*), published by Gallimard, 1953; and in Volume II of a second edition of *Œuvre poétique* (including also *Amers* and *Chronique*), 1961.

IN ENGLISH

Winds, Canto I, the French text facing the English translation by Hugh Chisholm, was published in *The Hudson Review* (New York), IV:3, autumn, 1951; Canto II, likewise, in *Sewanee Review* (Sewanee, Tennessee), LX:3, summer, 1952. The complete French text, followed by the translation by Hugh Chisholm, was published, in large format and large typography, in Bollingen Series, Pantheon Books, 1953, with notes of commentary by Paul Claudel, Gaëton Picon, Albert Béguin, and Gabriel Bounoure, and a bibliography. A second edition, in smaller format, with French and English texts on facing pages and without notes, was published in 1961.

IN GERMAN

Winde, Canto I, sections 1–2, 4–6, translated by Friedhelm Kemp, was published in *Merkur* (Stuttgart), No. 104, October 1956. Friedhelm Kemp's translation of the entire poem, with French

and German texts on facing pages, was published in Volume I of a German collected edition: *Saint-John Perse: Dichtungen* (including *Éloges*, *La Gloire des Rois*, *Anabase*, and *Exil*), by Hermann Luchterhand Verlag, Darmstadt, Berlin, and Neuwied, 1957. The volume contained commentaries and notes by Valery Larbaud, Hugo von Hofmannsthal, T. S. Eliot, Paul Claudel, and Alain Bosquet, and a bibliography.

IN SPANISH

Vientos, Canto I, translated by Jorge Zalamea, was published in *Crítica* (Bogotá, 1960); Canto III in *Antología Poética de Saint-John Perse*, selected and translated, with a prologue, by Jorge Zalamea, published by Compañía General Fabril Editora, Buenos Aires, 1960.

IN ITALIAN

Vents, Canto I, sections 1–4, translated by Romeo Lucchese, was published in *Letteratura* (Rome), Nos. 39–40, May 1959; Canto IV, sections 4, 6, 7, in *La Fiera Letteraria* (Rome), April 3, 1960. The entire poem in Romeo Lucchese's translation is included in a bilingual collected edition, in two volumes, *Opere Poetiche di Saint-John Perse*, Lerici, Milan, 1960.

IN SWEDISH

Vindar, Cantos I, sections 1–7, III, sections 3–6, and IV, sections 1, 5–7, translated by Erik Lindegren, included in a Swedish selection of works by Saint-John Perse, *Jord*, *Vindar*, *Hav*, published by Bonnier, Stockholm, 1956.

IN POLISH

Vents, Canto I, section 3, translated by Zbigniew Bienkowski, was published in *Nowa Kultur* (Warsaw), No. 3, 1958.

IN ARMENIAN

Vents, Cantos I, section 3, and III, section 6, translated by G. Poladian, was published in *Andastan* (Paris), Nos. 8–9, 1959.

OTHER WORKS OF ST.-JOHN PERSE

ÉLOGES

Separate poems, signed "Saintléger Léger," were first published in the *Nouvelle Revue Française* (Paris), 1909 and 1910. The volume *Éloges* was first published in 1911, in Paris. In 1922 and 1923 sections were published in musical settings by Louis Durey and Darius Milhaud. A second edition of *Éloges*, signed "St.-J. Perse," with two more poems, was published in 1925, in Paris. Third edition, revised, augmented, and rearranged, Paris, 1948. The work was again presented in 1953 in the *Œuvre poétique*, Vol. I, first edition; 1960, second edition.

Éloges and Other Poems, French text with English translation by Louise Varèse, was first published in New York, 1944. An edition with French text and revised translation by Louise Varèse, including an additional poem, was published in Bollingen Series in 1956; reprinted, 1961.

Translations published and in preparation in Spanish, Italian, and German.

ANABASIS

First published in Paris, 1924; subsequent editions in 1925, 1947, and (revised and corrected) 1948; also published in French in New York, 1945. Again presented in the *Œuvre poétique*, Vol. I, first edition, 1953; second edition, 1960.

Anabasis, French text with English translation and preface by T. S. Eliot, was first published in London, 1930; second edition,

revised and corrected, 1958; American editions, New York, 1938 and 1949.

Translations also published in Russian, German, Italian, Spanish, Romanian, Swedish, Greek, Danish, Hindi, Serbian, Oriya, and Bengali; in preparation in Dutch, Finnish, and Vietnamese.

EXIL

First published in 1942, first in Buenos Aires, then in Neuchâtel (Switzerland), Marseilles, and "en France"—a clandestine and very limited edition. Published with *Poème à l'Étrangère*, *Pluies*, and *Neiges*, Buenos Aires, 1944, and Paris, 1945; revised, Paris, 1946. Again presented in the *Œuvre poétique*, Vol. I, first edition, 1953; second edition, 1960.

Exile and Other Poems, French text with English translation by Denis Devlin, was first published in New York, Bollingen Series, 1949, in large format; second edition, in smaller format, 1953; reprinted 1960.

Translations also published in Spanish, Italian, German, Serbian, and Danish; in preparation in Dutch, Finnish, and Japanese.

AMERS

Parts were first published in *Les Cahiers de la Pléiade* (Paris), 1948 and 1950; *Exils*, 1952; and *La Nouvelle Nouvelle Revue Française*, 1953 and 1956. The volume was published in Paris, 1957. It was again presented in Volume II of the *Œuvre poétique*, second edition, 1960.

Seamarks, French text with English translation by Wallace Fowlie, was first published in New York, Bollingen Series, 1958, in large format; second edition, in smaller format, 1958; reprinted 1961.

Translations also published in German, Italian, Arabic, and Greek; in preparation in Spanish.

CHRONIQUE

First published in the *Cahiers du Sud* (Marseilles), XLVIII:352 (October–November 1959). The volume was published in Paris, 1960.

Chronique, French text with English translation by Robert Fitzgerald, was first published in New York, Bollingen Series, 1961.

Translations also published in Swedish, German, Spanish, Italian, Oriya, Bengali, and Hindi.